나의
오랜 불안에게

나의 오랜 불안에게

2021년 2월 10일 초판 1쇄 발행
2021년 2월 10일 초판 1쇄 인쇄

지은이　｜이원영

사진　｜이원영　　표지　｜theambitious factory
편집　｜송세아　　인쇄　｜아레스트(arest)

펴낸이　｜이장우
펴낸곳　｜꿈공장 플러스
출판등록　｜제 406-2017-000160호
주소　｜서울시 성북구 보국문로16가길 43-20, 꿈공장 1층
전화　｜010-4679-2734
팩스　｜031-624-4527
이메일　｜ceo@dreambooks.kr
홈페이지　｜www.dreambooks.kr
인스타그램｜@dreambooks.ceo

ISBN　｜979-11-89129-81-1

정 가　｜13,000원

나의
오랜 불안에게

이원영 수필집

목차

1장

장마철엔
편한 잠이 없었다

2장

누구에게도
들키고 싶지 않은

3장

차라리
불편한 게 나을지언정

1장

———

장마철엔
편한 잠이 없었다

—————

사실,
나는 겁쟁이였어

어릴 적 학교 쉬는 시간이면 친구들과 자주 오목을 두곤 했다. 단순하고 빠르게 결판이 나는 오목은 쉬는 시간에 할 수 있는 최적의 오락이었고, 학교 주변 학원에서 홍보를 위해 나눠준 노트는 최고의 오목판이었다. 모눈종이를 사이에 둔 어린 학생 둘은 마치 오목 기사라도 된 듯 진지했다. 때론 돌 하나를 보지 못해 허무하게 끝나는 경기도 있었지만, 주로 치열한 두뇌 싸움을 거쳐 승패가 결정되곤 했다. 팽팽했던 승부가 끝나면 관중의 입장이 되어 다른 친구들의 경기를 지켜봤다. 신기하게도 제삼자의 눈으로 보면 모든 경기가 단순하게 보였다. 훈수를 두고 싶어 입이 근질근질할 정도로. 그만큼 선수가 되어 치열하게 경기에 임한다는 것은 나의 수, 즉 나의 상황을 객관적으로 보기 어렵다는 걸 의미했다.

해가 거듭될수록 삶은 어릴 적 오목 경기보다 훨씬 길고 치열해졌다. 무엇을 좋아하고, 잘하는지 돌아볼 틈도 없이 그저 앞만 보고 살아가기 바빴다. 그렇게 살다 보니 어느새 나는 이따금 몇 가지 결정으로 과감한 사람, 겁 없이 도전하는 사람이 되어있었다. 이를테면 내 과감한 결정은 이런 것들이었다. 스무 살엔 적성에 맞지 않는다는 이유로 컴퓨터 정보학과를 자퇴했고, 다시 들어간 영문학과를 졸업한 후엔 또다시 싱어송라이터가 되기 위해 삶의 방향을 틀었다. 서른네 살엔 작가의 세계로 뛰어들었다. 삶의 갈림길에서 내린 이 선택들은 내가 과감한 사람인 것처럼 착각하기에 충분했고, 안타깝게도 내 선택 이면에 숨겨진 두려움과 불안 따위는 나에게 고려의 대상이 아니었다. 경기장 안에 있는 선수처럼 치열하게 삶을 살다 보니, 내 안의 불안을 객관적으로 보기 어려웠던 것이다. 외면하는 편이 무의식적으로 안심됐을까. 어쩌면 나는 과감할 뿐 불안 따위는 없다고 자만했는지도 모르겠다.

　최근 내 삶에 던져진 화두는 '불안'이다. 성장기부터 늘 그림자처럼 따라다닌 불안을 애써 잊고 살다가, 불안을 다시금 인식한 계기는 의외로 단순했다. 이십 대 후반 처음 겪었던 고소 공포증이 그 시작이었다. 누구나 느끼는 고소 공포증이 큰 문제가 된 이유는 고층 난간에 서면 느낄 수 있는 심장이 오그라드는 이 증상이 겨우 2층도 안 되는 높이에서도 나났기 때문이다. 한번 불안을 의식하자 내 안에 숨어있던 각종 불안이 기척을 내기 시작했다. 현재 느끼는 직접적인 공포부터 과거에 있었던 크고 작은 두려움까지, 치열한 삶을 위해 애써 묻어 두었던 불안들이 곳곳에서 고개를 들었다. 갑자기 마주한 이 불안들을 해결하지 않는다면 나는 평생 정체가 흐릿한 불안의 틀 안에 갇혀 살아야 할 것만 같았다. 결국 나는 내 안에 쌓인 모든 불안을 채집하고 나열해야만 했다. 나름 용감하게 살아왔다고 생각했던 나는, 그게 착각이었음을 인정해야 했다.

사실, 나는 겁쟁이였다.

앞으로의 글은 겁쟁이의 고백이자 한 청년이, 그리고 그 이전에 한 소년이 어떤 불안을 가슴에 담아두며 살아왔는지에 관한 기록들이다. 비록 수많은 불안에 대한 명확한 해결책을 제시해줄 수는 없더라도, 나의 불안을 통해 공감과 위로를 받는다면 그것으로도 이 기록은 충분히 의미 있을 거라 믿는다. 그것이 사소한 동지 의식일지라도 말이다.

―――

나
혼자 산다

　종종 설렘이라는 감정이 두려움과 뒤섞여 어떤 감정인지 헷갈릴 때가 있다. 초등학교 첫 등교 날이 그랬다. 낯선 장소, 낯선 사람들에게 느낀 두려움, 미지의 세계에 대한 기대감이 뒤섞여 혼란스럽던 날을 어렴풋이 기억한다. 입학 후 며칠 동안 겪던 두려움은 학교란 공간에 적응하며 서서히 옅어졌고, 아쉽게도 그사이 설렘의 감정도 함께 옅어졌다. 대학교의 첫 수업 날과 훈련소의 첫날도, 여느 모임이나 사람과의 관계도 이와 크게 다르지 않았다. 이런 일련의 경험으로 미루어 보면, 인간은 모든 것에 적응할 수 있다고 한 도스토예프스키의 말은 크게 틀리지 않아 보인다.

독립. 29년을 부모님과 함께 살면서 가장 바라던 단어였다. 작업실에서 매일 늦은 새벽까지 음악 작업하던 것을 핑계 삼아 그토록 바라던 독립을 이뤘다. 독립한 첫날, 조촐한 가구들을 옮기고 방에 누웠는데 들뜬 마음이 쉽게 가라앉지 않았다. 백만 원 남짓한 수입으로 살아갈 수 있을까 두렵기도 했지만, 나만의 공간이 생긴 흥분과 설렘 이 감정들만으로도 모든 역경을 헤쳐나갈 수 있을 것 같았다. 그렇게 독립 후 몇 달간은 혼자 살게 된 환희와 자유로운 생활에 감격한 채 정신없이 지나갔다.

　그러나 그 감격도 잠시, 혼자 사는 일은 생각보다 만만치 않았다. 매달 월세가 빠져나간 통장 잔액을 볼 때마다, 이 낯선 현실이 수십 번 반복돼도 좀처럼 익숙해지지 않았다. 설렘은 사라지고 두려움만 이어지는 이 기이한 현상에 나는 도스토예프스키의 말을 정면으로 반박하고 싶었다. 나는 과연 모든 것에 적응이 가능한 인간일까.

　여전히 적응이 안 되는, 독립에 따른 혹독한 대가는 매달 카드 값을 통해서 치렀다. 카드 내역서는 정말이지, 매달 새로웠다. 그뿐만 아니라 세대주로서 의료보험을 납부하고, 자잘한 생필품 사는 일 또한 어떤 달엔 심히 버거웠다. 숨만 쉬어도 거주에 대한 값을 치러야 한다는 사실은 생각만 해도 숨이 턱 막혔다.

 일을 끝내고 돌아와 지친 몸을 침대에 눕히면 아무것도 하고 싶지 않았다. 하지만 그럴 수 없었다. 이 생활을 유지하려면 그만큼의 값을 치러야 하기에. 열심히 일해서 월세를 내고, 다시 지치고 또 다음 달 월세를 내기 위해 일해야 하는 악순환은 내 삶을 퍽퍽하게 만들었다. 대학생 시절, 한 달 이상씩 여행을 떠날 수 있던 것은 내가 월세를 내지 않아서 가능했음을 뒤늦게 깨달았다. 부모님과 함께 살면서 누릴 수 있는 사소한 것들은 결코 사소하지 않았다.

 게다가 일과 사람으로 인해 지독한 스트레스가 한바탕 쏟아지는 날이면, 이 생활을 얼마나 더 이어나갈 수 있을지, 의문 섞인 불안에 시달렸다. 그나마 있던 미약한 자신감마저 자취를 찾을 수 없었다. 희망에 부풀어 오르던 날은 기억나지 않고, 그저 비관적인 일들만 나를 기다리는 것처럼.

 혼자 사는 생활에는 지독한 외로움도 뒤따랐다. 텅 빈 집안은 내 존재만으로 채울 수 없는 큰 외로움이 곳곳에 배어 있었다. 혼잣말이라도 하지 않으면 방은 늘 적막했고, 동네마저 한적해 그 적막함은 이내 배가 되었다. 굳이 욕심을 부려 산 대형 냉장고 모러 소리만 울릴 뿐이었다. 어느 순간부터 집에 돌아오면 자연스레 예능 프로그램을 틀어 놓았다. 공허한 웃음소리로라도 이 공간을 메워야 했다.

가끔 청춘을 한껏 산화시키며 하루를 겨우 버틴 날이면, 이것이 정말 내가 원한 삶인가, 하는 회의감마저 든다. 이런 삶이 과연 자유로운 삶일까. 자유를 즐기는 여유보다 괴로움, 외로움, 막막함 따위의 부정적인 감정을 더 오래 견뎌내야 한다는 사실에 나 자신이 애처롭다.

　人이라는 한자를 생각할 때가 있다. 본래 사람이 허리를 구부리고 있는 모양을 본떠 만든 것이라고 하는데, 사람과 사람이 서로 받치고 있는 모양이라는 해석도 본 적 있다. 그러나 정작 나는 그 글자를 보면 한 사람이 자신보다 큰 벽을 등에 이고 버티는 모양새 처럼 보인다. 생의 무게를 홀로 버려 내야 하는 나를 형상화한 것처럼. 마치 하늘을 짊어지고 있는 아틀라스라도 된 듯 생의 무게를 홀로 버려 내는 게 조금 버거울 때, 등에 무거운 벽 하나를 이고 있는 기분일 때, 가끔 그런 생각이 든다.

———

나는
언제부터 을이었을까

    아침에 눈을 뜨면 가장 먼저 휴대폰을 주섬주섬 찾는다. 간밤에 나를 찾는 연락은 없었는지, 세상에 별다른 일은 없었는지 확인한다. 그러다 문득, 화면 윗부분에 가득 채워진 초록색 배터리 아이콘을 볼 때면 한껏 기분이 좋아진다. 한동안 배터리 걱정을 하지 않아도 된다는 생각에 개운함마저 드는데(그래 봐야 고작 몇 시간이겠지만), 우리는 이 개운함을 위해 매일 밤 잠들기 전 하나의 의식처럼 정성껏 충전 케이블을 꽂는다. 기절하듯 잠들어 배터리를 제대로 충전하지 못한 다음 날이면 불안한 하루가 시작된다. 부주의한 대가는 심히 뼈저리다. 바로 외출해야 한다면 혹시 모를 불상사를 막기 위해 스마트폰보다 큰 보조 배터리를 챙겨야 하고, 그 보조 배터리 역시 충전되어 있어야 한다. 스마트폰은 우리의 삶을 보다 유익하고 편하게 만들지만, 이렇듯 배터리를 신경 써야 하는 불편을 동반한다. 편리에 앞서는 불편이랄까.

스마트폰 없는 하루는 상상만 해도 가히 아찔하다. 궁금한 것을 바로 알아볼 수 없는 불편함은 물론이고, 외부와 단절된 것만 같은 고립감에 하루가 괴롭다. 지인들의 전화번호를 외우던 시대는 이미 지나갔고, 스마트폰이 없으면 누구에게도 연락하지 못하는 세상이다. 연락이 중요한 사업가들이 아닌 이상 우리의 운명을 좌우할 연락은 아마 없을 테지만, 스마트폰을 놓고 나온 날에는 중요한 연락이 몇 개는 와 있을 것만 같은 착각에 초조하기만 하다. 스마트폰이 손에 없다면 우리는 당장에라도 불안한 존재가 될 수 있다는 것이다.

의지할 대상이 있다는 사실은, 안심과 불안이라는 양면성을 지니고 있다. 의지하던 대상이 사라지면 불안의 농도가 짙어지는데, 그 농도는 의존도와 비례한다. 영화 〈엔젤 해즈 폴른〉에서 자급자족하며 은둔 생활을 하던 아버지가 주인공에게 "의존하면 노예가 돼."라고 말하는 장면이 나온다. 자급자족하지 않으면 사회 시스템에 평생 종속될 수밖에 없다는 대사를 간결하게 번역한 것이다. 다소 극단적인 번역이지만, 의존이 반복되면 자연스럽게 을이 되는 것은 사실이다. 사람 혹은 기계와의 관계도 마찬가지다.

*

작가 폴 그레이엄에 의하면 도시는 야망 있는 사람들을 끌어들이고, 그들에게 각 도시 특성에 따른 메시지를 보낸다고 한다. 이를테면 뉴욕은 돈을 더 많이 벌어야 한다는 메시지를, 케임브리지는 더 똑똑해져야 한다는 메시지를 도시인들에게 보낸다는 것이다. 그럼 내가 사는 서울은 나에게 무슨 메시지를 보내고 있는가 생각해 봤다. 아무래도 서울의 메시지는 뉴욕의 그것과 같아 보이는데, 나는 그 메시지를 성취하기 위해 이 도시에서 적잖이 애쓰고 있다.

평생을 서울이란 거대한 도시에서 살아 온 나는 다른 곳에서의 삶이 머릿속에 그려지지 않는다. 너무 편해져 버린 도시의 삶은 익숙함이란 가장 강력한 동기에 의해 여전히 유지되고 있으며, 성공이란 욕망을 성취할 수 있는 유일한 도시처럼 느껴진다. 그래서 이 도시를 떠나는 것은 심히 요원한 일이 되어 버렸다. 마치 도시와 한몸이라도 된 듯이 말이다.

글이 잘 써지지 않는 답답한 마음에 템플스테이에 다녀왔다. 산사에서 보내는 하루는 단순하지만 상쾌하기 그지없었다. 간만에 맛본 맑은 공기는 비염으로 고생한 코에게 훌륭한 선물이었다. 그렇게 자발적으로 현대 도시에서 도망쳤지만, 밤이 되자 산사 아래로 도시의 화려한 불빛들이 한눈에 들어왔다. 그리고 내 주머니에는 여전히 스마트폰이 있었다. 나는 결국 '현대'에서 완전히 벗어나지 못했다. 너무 편해져 버린 도시의 삶, 단 몇 시간도 스마트폰을 내려놓을 수 없는 나는 완벽한 '을'이었다.

나는 언제부터 자발적 을이 되었을까.

―――――

싸우거나
혹은 도망치거나

불길한 일이 벌어질 것 같다. 입이 바짝 마르고, 손바닥은 땀으로 흥건하다. 싸늘한 분위기는 심상치 않다. 무표정한 얼굴로 나를 바라보는 저 사람은 과연 내가 알던 사람일까. 서로를 바라보는 것마저 불편하다. 두 사람 중 이별을 결심한 사람은 그만 만나자는 말을 어렵게 꺼낸다. 다른 한 사람은 담담한 표정으로 그 말을 듣는다. 그렇게 둘은 아무 말이 없다. 하지만 얼마 지나지 않아 누군가는 어떤 말이라도 해야 한다.

이별은 사랑했던 사람과 맺어 온 관계의 종말이다. 헤어진 후에도 친구로, 혹은 가까운 사이로 남을 순 있어도 전과 같은 내밀한 관계는 있을 수 없다. 그 관계의 종말은 처음부터 끝까지 싸늘함으로 일관한다. 연애할 때 느낀 가슴 뛰던 설렘은 어느새 불안한 떨림으로 변해 있다. 이별을 준비했던 사람도 이 날을 생각하며 며칠간 혹은 더 오랜 시간 불안했을 테지만, 이 별을 전해 듣는 사람은 그 순간부터 불안을 느낀다. 이제 이별을 인정하느냐, 인정하지 못하느냐의 문제이다.

생리학자 월터 캐넌은 우리의 몸이 위협을 느끼면 생존을 위해 투쟁 또는 도피 반응을 보인다고 주장했다. 스트레스 수치를 낮추기 위해 위협에 맞서 싸우거나(투쟁), 도망치는(도피) 반응, 둘 중의 하나를 선택한다는 것이다. 이별을 통보받는 사람에게도 '투쟁-도피 반응'은 일어난다. 이별을 인정하지 못하고 싸우거나 혹은 이별을 받아들이고 도망치거나 둘 중 하나의 반응 말이다.

비 오는 가을, 스무 살의 나는 첫 이별을 경험했다. 헤어지자는 문자는 통보에 가까웠다. 가능하다면 그녀를 설득하거나, 그것도 안 되면 이별의 이유라도 듣고 싶었다. 휴대폰 배터리가 방전된 터라 공중전화를 찾아 빗속을 미친 사람처럼 뛰어다녔다. 불안이 극도로 오른 나는 정신을 차릴 수 없었다. 그녀 없는 삶은 당장 두 동강 나버릴 것 같았다. 하지만 아무런 답을 얻지 못했고, 결국 난 며칠 동안 감기몸살에 시달렸다.

이미 마음을 정한 상대방에게 일방적인 투쟁은 무의미했다. 그렇지만 미련만 가득 차 있었던 탓에 이별을 쉽게 받아들일 수 없었다. 내가 받아들이지 않는다고 해서 달라지는 건 없었는데, 그만큼 무지했다. 모든 게 서툰 스무 살엔 이별을 받아들이는 방법마저 서툴렀다.

그 후로 나는 이별의 순간이 찾아오면, 거기까지 올 수밖에 없었던 상황을 인정했다.(캐넌에 의하면 도망친 것이겠다.) 내가 이별을 통보하는 입장이었을 때도 그녀들은 대체로 나와 같았다. 어떻게 그럴 수 있었을까 생각해 보면, 서로 어느 정도의 전조 현상을 눈치챘기 때문일 것이다. 서로가 우선순위에서 밀려났고, 전과 같지 않은 시큰둥한 반응과 뜸해지는 연락에 서운한 감정들이 잦아졌다. 이런 일련의 전조 증상으로 각자 이별 연습을 한 셈이었다. 스무 살엔 그 전조 증상을 눈치채지 못했을 뿐이고.

한 번은 카페에서 이별했다. 나는 헤어지자는 얘기를 어렵게 꺼냈고, 그녀는 담담하게 듣다가 이내 눈물을 참으며 자리에서 일어났다. 울고 있는 누군가를 보면 울고 싶어진다. 울고 있는 그 사람이 조금 전까지 나의 연인이었으니, 눈물이라도 닦아주고 싶었다. 아니, 그녀를 뒤쫓아 가서 붙잡고 싶었다. 하지만 그러지 못했다. 다시 만난다고 해도 우리 관계를 극복하지 못할 걸 너무 잘 알았다. 일어나려던 몸을 겨우 참아 내고 이별을 받아들였다. 일 년이 지났을까, 다른 사람과 사귀고 있을 무렵 그녀가 결혼했다는 소식을 들었다. 잘 살고 있었구나, 싶었다. 그 마지막 순간을 받아들인 것이 결국 우리에겐 구원이었다.

'하긴'
에서 벗어나려면

　'하긴'

　스무 살 무렵 친구들 사이에서 불린 나의 별명이었다. 언뜻 외국인 이름 같아 보이는 이 별명은 친구들과의 대화에서 내가 버릇처럼 사용한 단어였다. 친구들의 의견을 듣고 난 뒤 대화 말미에 늘 '하긴, 그 말도 맞지'라는 추임새를 덧붙였을 정도로, 당시 나는 모든 대화에 수동적이었다. 사유와 경험이 부족하다는 자격지심은 대화에 확신을 주지 못했고 그런 대화가 편할 리 없었다. 공허한 내 이야기를 애써 꺼내는 것보다 입을 닫는 편이 나았다. '하긴'은 그런 두려움과 약점을 숨기고 대화 말미에 내 존재감을 슬쩍 내비치는 허술한 도구에 불과했다.

　대화는 서로의 이야기를 던지고 받는 일종의 랠리다. 한쪽의 이야기만 일방적으로 전달되면 대화의 균형이 깨지지만, 나에게 그런 균형은 중요치 않았다. 그저 무시 받지 않기 위해 방청객처럼 고개만 끄덕이며 '하긴'을 던질 뿐이었다.

유난히 말을 아끼는 사람을 대화에 있어 신중한 편이라 말한다. 그러나 나는 신중함 때문이 아닌, 엄격한 자기 검열로 인해 말을 아낄 수밖에 없었다. 대화에서 늘 자신이 없었다. 체온이 내려간 상태가 이어지면 감기에 걸리는 것처럼 자존감이 낮았던 나는 자기 불신에 자주 시달렸다. 내 경험과 직관은 나에게조차 철저하게 홀대받았고, 결국 나의 이야기들은 언제나 입 밖으로 꺼내면 안 될 것들이었다. 돌이켜 보면 말을 잘하지 못한다고 그 누구도 질타할 사람이 없었는데. 자격지심은 나에게 누구보다 가혹한 검열관이었다.

*

복학을 하면 뭔가 달라질 줄 알았던 내 대학 생활은 여전히 암담했다. 군대에 다녀오기 전과 후, 달라진 것은 없었다. 답답한 마음에 휴학을 저지르고 도망치듯 떠난 인도에서 여행의 재미를 우연히 발견했다. 인간은 재미를 추구하며 존재 이유를 발견하는 유희적 존재라고 했던가. 내 존재의 이유는 여행에 있는 것만 같았다. 사서 고생하는 것이 여행의 본질이라는 말처럼, 여행 곳곳에서 일어나는 고생은 지나고 보면 하나의 에피소드가 됐다. 가도 가도 끝이 없던 40시간의 기차 여행도, 공짜와 다름없는 구세군 숙소에서 빈대에 물려 팔에 진물이 흐를 때까지 긁어 대다가 현지 병원에 가게 된 사건도, 이가 터져 나갈 듯한 추위는 괴로웠지만 반구를 뒤덮는 별 무리와 은하수를 처음 보게 된 사막의 밤도. 여행을 하는 도중엔 알 수 없었지만, 여행에서 쌓여가는 경험들로 인해 대화의 소재가 조금씩 늘어갔다.

여행을 준비하면서 그 나라를 주제로 공부하고 알게 된 사실마저도 흥미로운 소재였다. 내가 다녀온 도시로 여행을 계획하는 사람에게는 조언해줄 수 있었고, 같은 곳을 다녀온 사람이라면 반가움에 할 얘기들이 더욱 넘쳤다. 당장 언변이 좋아진 것은 아니었지만, 적어도 내 경험과 의견을 얘기하는 것에 부담이 없어졌다. 높은 수준의 철학이나 지식, 화려한 수사법이 있어야 대화가 잘 될 것이라고 착각했던 날들이 무색하게, 여행에서의 경험을 담백하게 얘기하는 것만으로도 대화는 충분히 이어졌다. 여행으로 누적된 경험은 서서히 자존감을 채워주었고, 어느새 나는 수다스러운 사람이 되어있었다. 엄격했던 대화의 자기 검열이 이리도 느슨해질 줄 진작 알았다면 여행을 좀 더 일찍 다닐걸. 후회는 언제 해도 항상 늦다.

지금은 예전처럼 여행을 자주 떠날 수 없다. 그런 현실이 팍팍하다고 느껴질 때마다, 낮아진 자존감을 회복하러 떠난 여행에서 담아온 수많은 이야기를 기억해낸다. 결국, 내 안에 쌓인 그 이야기들로 이렇게 글까지 쓰게 된 걸 보면 여행은 나에게 꼭 필요했다. 그렇다. 누군가 말했듯 여행은 언제나 옳다.

―――――

12시간,
12시간 그리고 12시간

　여행하다 보면 겪고 싶지 않은 사건이 터지곤 한다. 이를 테면 여권을 잃어버리거나 버스를 놓치거나, 일정을 착각하는 사건 말이다. 예상치 못했던 사건이 터지면 그때부터 크고 작은 불안이 들러붙는다. 이 여행을 무사히 끝마칠 수 있을지, 혹여나 더 곤란한 일이 생기지는 않을지 따위의 불안. 게다가 사건의 원인이 자신에게 있기라도 하다면 불안에 괴로움까지 더해진다.

　내가 여행하며 겪은 최악의 사건은 두 번째 인도여행에서 돌아오는 길에 일어났다. 북인도 마날리에서 수도인 뉴델리까지는 버스로 꼬박 12시간이 걸리는데, 식체 때문에 멀미에 시달려 12시간 동안 빈사 상태였다. 설상가상 연착으로 인해 예정보다 늦게 공항에 도착해, 비행기 탑승 시간까지 얼마 남지 않은 촉박한 상황이었다. 같은 항공편인 일행과 함께 공항으로 들어가려는 순간, 무장한 군인들이 우리 앞을 막아서며 여권을 요구했다. 테러가 실존하는 인도에서 치안을 담당하는 군인에게는 당연한 일이었겠지만, 가뜩이나 시간이 없어 초조한 우리에게는 재앙과 다름없는 요구였다. 어쩔 수 없이 여권을 내주었고, 피 말리는 기다림 끝에 군인이 말했다.

"카운터가 닫혀서 너희는 비행기에 탑승하지 못 한다."
"그게 무슨 말이에요? 출발하려면 아직 몇 분 남았는데, 들어가게 해줘요!"
"비행기는 탈 수 없으니까 해당 항공사 사무실에 가서 해결해라."

버스에서 겪은 것보다 강한 멀미가 일었다. 아무리 사정해도 군인들은 끝까지 단호했다. 할 수 없이 항공사 사무실을 찾아갔고, 직원을 통해 비행기를 탈 수 없다는 비보를 한 번 더 들어야 했다. 조금 더 일찍 움직이지 못했다는 자괴감이 온몸에 퍼지려는 찰나, 직원은 우리에게 희망의 메시지를 전해 주었다.

"추가 요금 없이 다음 항공편을 이용할 수 있을 거 같은데,

12시간 뒤에요. 괜찮으시겠어요?"

그나마 불행 중 다행이었다. 여행 경비를 모두 써버린 상황에서 남은 시간까지 따질 여유가 없던 터라 직원들에게 연신 고맙다고 말하며 공항 안으로 들어왔다. 시내에 다녀올 돈도, 마음의 여유도, 체력도 없었기에 그저 공항 안에서 12시간을 넋 놓고 기다릴 수밖에 없었다.

기다림은 나에게 어색한 덕목이었다. 비행기를 타기 위해 2시간 이상 기다려 본 적도 없고, 더군다나 물건을 사거나 음식을 먹기 위해 줄을 서 본 적도 거의 없기 때문이다. 그런 나에게 12시간의 기다림은 쉽게 와 닿지 않았다. 게다가 멀미에 시달려 녹초가 된 나에게 이 기다림은 정신적으로나 체력적으로나 버티기 어려운 숙제와도 같았다.

시간은 참 더디게 흘렀다. 일행과 대화를 나눠도, 공항 밖에서 바람을 쐬고 와도, 노래를 들어도, 앉아서 졸아 봐도 시간은 작정한 듯 천천히, 아주 천천히 흘렀다. 멈춰버린 시간을 곱씹으며 버틴 끝에 새벽이 되어서야 겨우 비행기에 탑승할 수 있었다. 기내식으로 허기진 배를 채우고 나니 그간 쌓인 피로가 몰려와 기절하듯 잠들었다.

잠에서 깨니 어느덧 방콕 공항에 가까워지고 있었다. 비행기에서 내려 우여곡절을 함께한 일행과 작별 인사를 나누었을 때, 한국행 비행기 탑승까지 3시간 정도 남아 있었다. 하지만 12시간 전에 겪은 사달이 머릿속에 맴돌았고, 그저 같은 실수를 반복하면 안 된다는 생각에 손목시계만 바라보며 탑승 시간을 기다렸다. 2시간쯤 지났을까, 탑승 게이트에 한 시간 정도는 미리 가 있어야겠다 싶어 발걸음을 옮겼다. 하지만 게이트는 닫혀 있었고, 직원이나 탑승객은 아무도 보이지 않았다. 뭔가 꺼림칙한 마음에 게이트 번호를 여러 번 확인했지만 틀림없었고, 손목시계 또한 아무 문제 없었다. 하지만 시간이 흘러도 여전히 텅 빈 게이트는 무엇인가 이상했다. 혼란스러운 나에게 두 명의 남자가 달려왔다.

"당신이 LEE입니까!"
"제 이름을 어떻게 알았어요?"
"30분 전부터 당신을 찾았어요! 파이널 콜도 못 들었어요? 비행기는 방금 이륙했어요!"

태어나서 처음으로 다리에 힘이 풀려 주저앉고 말았다. 농담이길 바랐지만, 두 직원의 안타까운 표정에서 현실을 읽어냈다. 날 안타깝게 바라보던 직원이 내 손목시계를 가리키며 현지 시각으로 바꾸지 않았냐고 물었다. 그 순간, 손목시계가 문제였다는 사실을 깨달았다.

'아, 시차.'

방콕 공항에 도착한 시간은 태국 시각으로 오후 2시 30분, 인도 시각으로는 오후 1시였다. 태국 시각으로 오후 4시에 비행기를 타야 했던 나에게 남은 실제 시간은 1시간 30분도 안 됐다. 하지만 인도 시각으로 설정된 손목시계를 보며 3시간이나 남았다고 착각했고, 거기에 노래를 듣느라 이어폰을 꽂고 있었기에 날 찾는 안내 방송도 듣지 못한 것이다. 민망함을 넘어선 자괴감이 몰려왔다. 심연의 끝보다 더 깊은 절망감도. 두 직원은 나를 일으켜 카운터에 데리고 갔다. 직원들끼리 무엇인가 얘기를 나누기 시작했고, 오래지 않아 한 직원이 나에게 말했다.

"다행이에요. 12시간 뒤에 인천행 비행기가 있어요."

데자뷰인가. 뉴델리 공항에서 직원이 내게 한 말과 같았다. 그 말을 듣자마자 뉴델리 공항에서 힘겹게 보낸 12시간이 머릿속을 스쳐 지나갔다. '다시 12시간을 공항에서 기다리라고?' 하지만 모든 것은 내가 자초한 일이라 짧은 탄식도 실례였다. 지금 내가 할 수 있는 일은 직원들에게 진심으로 고맙다고 말하는 것뿐이었다. 그렇게 또다시 12시간의 기다림이 시작됐다.

도심으로 나갈 수 없어 의자에 앉아 공항이 돌아가는 모습을 지켜봐야만 했다. 마치 영화 〈터미널〉의 주인공처럼. 전쟁 같은 내 상황과는 다르게, 다른 환승객들은 세상 편히 잠들어 있었다. 그러나 나는 잠들 수 없었다. 혹시라도 잠들면 비행기를 또 놓칠 수 있다는 불안감 때문이었다. 비행기를 세 번이나 놓칠 수는 없지 않은가.

불안과 긴장이 뒤섞인 시간은 역시나 더디게 흘렀다. 게다가 다른 누구를 탓할 수 없는 자괴감은 무겁고 괴로웠다. 자신의 무력함을 절감하게 된다는 군대에서도 이 정도의 자괴감을 느낀 적은 없었는데, 이게 정말 현실이 맞는지, 어처구니없는 자문을 반복했다. 12시간의 멀미와 노숙에 가까운 24시간을 보낸 나는, 감당할 수 없는 피로를 가까스로 견뎌내고 있었다.

새벽에서야 겨우 비행기에 탑승한 나는 만신창이었다. 원래 도착했어야 하는 날보다 꼬박 하루 늦은 귀국이 되었고, 집에 도착하는 순간까지 지난 이틀 사이에 벌어진 일들이 쉽게 믿어지지 않았다. 부모님도 이 일을 어이없어하셨다. 하지만 무너졌던 멘탈은 생각보다 금방 회복됐고 친구들에게 이 황당한 사건을 아무렇지도 않게 털어놓을 수 있었다. 이틀 동안 겪은 자괴감과 절망감이 무색할 만큼.

그 후로 여행을 떠나는 날마다, 더 정확하게는 비행기를 타러 공항에 가는 날마다 크고 작은 속쓰림이 일어났다. 아마 비행기를 또 놓칠까 불안한 마음 때문이었으리라. 비행기를 놓치는 일은 어떤 경우라도 두 번 다시 겪고 싶지 않다. 이 간절한 마음은 10년이 훌쩍 지났지만 아직도 옅어질 기미가 보이지 않는다. 얼마 전 제주도에 갈 일이 있었는데 비행기에 탑승하기 직전까지 속이 계속 쓰렸던 것을 보면 말이다. 이 불안의 유효기간은 내 예상보다 훨씬 긴 듯하다.

여행은 불확실성을 담보로 한다. 여행에 온통 확실한 것만 있다면 그 재미는 반감될지도 모른다. 그래서인지 우리는 여행을 떠나며 겪을 불확실한 것들을 기꺼이 받아들인다. 그것은 여행자의 올바른 태도이며, 나 또한 그런 여행자가 되려고 애쓴다. 다만 비행기를 타야 하는 날만은 예외다. 그날만은 모든 것이 확실해야 한다. 불안함에 24시간을 공항에서 보내지 않으려면, 심연의 끝보다 더 깊은 절망감을 다시 마주하지 않으려면, 반드시.

외동아들의
라임 오렌지 나무

　외동아들인 나는 혼자 보내는 시간이 많았다. 맞벌이를 하
시느라 부모님은 항상 늦게 들어오셨기에, 텅 빈 집에 혼자 남
아있는 시간은 특히 더 길고 지루했다. 그때 홀로 삭힌 외로움
은 감당하기 쉽지 않은 감정이었다. 넓지도 않은 집이었지만
나 혼자 있기엔 너무 황량했다. 그래서 친구들을 만나면 최대
한 늦게까지 놀다 들어오려고 애를 썼다. 하지만 내 마음 같
지 않은 날이 꼭 있었다. 함께 놀 친구들이 모두 바쁜 날. 그
땐 할 수 없이 집으로 돌아와 TV를 봤다. TV마저 지루해지면
이미 다 읽은 책을 다시 읽곤 했다. 그때 유난히 자주 읽으며
외로움을 삭히던 책이 하나 있었다. 그 책은『나의 라임 오렌
지 나무』였다.

『나의 라임 오렌지 나무』속 제제는 형제, 자매들이 많지만, 그 누구보다 외로운 아이다. 친구라고는 '밍기뉴'라 이름 붙인 라임 오렌지 나무뿐인 외톨이. 그런 제제에게 선물처럼 찾아온 뽀르뚜까 아저씨와의 행복한 시간은 앞으로 있을 비극을 더 짙게 만드는 복선인 듯했다. 결국 무심한 줄거리는 빗나가지 않았고, 제제는 거대한 상실감을 겪는다.

몇십 번을 읽은 책이었지만, 뽀르뚜까 아저씨가 기차에 치여 목숨을 잃는 장면은 늘 받아들이기 힘들었다. 특히 가장 소중한 사람을 잃은 제제가 통곡하는 대목에서, 마치 내가 소중한 사람을 잃은 듯이 매번 눈물을 한 움큼씩 쏟아냈다. 부모님이 언젠가 나를 떠날 상황을 미리 그려보며, 제제에게 내 상실감을 투영했는지도 모르겠다.

아주 가끔, 부모님이 돌아가시는 꿈을 꾼다. 그럴 때면 이루 말할 수 없는 고통에 아연실색한 얼굴로 잠에서 깬다. 언젠가 찾아올 그날을 실수로 통보받기라도 한 것처럼. 꿈이라는 사실을 깨닫는 순간엔 상실감과 안도감이 교차한다, 다행스럽게도.

아버지에게서 대장암이, 어머니에게서 피부암이 발견돼 가슴이 덜컥 내려앉은 날들을 기억한다. 부모님은 언제까지고 항상 건강하실 줄만 알았다. 그게 착각이었음을 깨닫고 나니,

더 큰 불안이 생겼다. 세상에 나 혼자 덩그러니 남겨질 것만 같은 불안. 언젠가 있을 부모님의 부재에 나는 어떻게 대처해야 할까.

　김영하 작가는 『여행의 이유』에 이런 문장을 썼다. '인간은 이야기를 읽으며 자신이 가장 두려워하는 것과 대면한다. 어린아이들이 고아 이야기에 빠져드는 것은 부모를 잃는 것이야말로 그들이 상상할 수 있는 최악의 상황이기 때문일 것이다.' 이 문장으로 미루어 보면, 어린 내가 『나의 라임 오렌지 나무』를 읽으며 감정 이입을 강하게 했던 것은 어쩌면 내가 그렇게 될지도 모른다는 불안 때문이었으리라.

　부모님의 부재, 어린 시절의 그 불안은 지금도 여전하다. 그 오래된 불안이 찾아오면 온몸에 힘이 쭉 빠진다. 분명 동네에 소문난 효자도, 살가운 아들도 아니지만 말이다.

──────

매듭

  6살 무렵, 길을 잃어 파출소를 찾은 적이 있었다. "저 길 잃
어버렸어요."라며 당당하게 말한 뒤, 기억하고 있던 집 전화
번호를 경찰관 아저씨에게 말해줬다. 경찰관 아저씨는 기특하
다며 짜장면을 사주셨는데, 짜장면을 다 먹기도 전에 어머니
가 날 찾으러 오셨다. 당당하게 집 전화번호를 말하고, 또 아
무 걱정 없이 짜장면을 먹을 수 있던 것은 날 찾으러 올 부모
님의 존재 덕분이지 않았을까.

  삶이 유독 고단한 날엔 길을 잃은 것처럼 막막하다. 파출
소라도 찾아가고 싶은 마음이 드는 그런 날에는 오랜만에 부
모님께 전화를 건다. 별일 없으시냐는 퉁명스럽고 짧은 통화
를 끝내고 나면, 얼굴마저 잘 내비치지 않는 불효자임을 새삼

깨닫는다. 부모님에게서 독립하는 것이 젊은 날의 찬란한 목표였음에도, 부모님과 나는 삶의 방식이나 가치관, 그 어느 것 하나 맞는 것이 없다고 생각하면서도, 부모님은 그 존재만으로도 항상 든든했다. 훗날 부모님에게 전화를 걸고 싶어도 걸 수 없는 그 날이 오면, 그때는 어디에 전화를 걸어야 할까.

혼자 살기 시작한 이후 어머니는 이따금 반찬을 가져다주신다. 그때마다 국물이 흐를 수도 있는 반찬은 항상 단단한 매듭으로 묶인 비닐봉지에 들어있다. 어찌나 꽉 묶으시는지, 매듭을 푸는 데만도 애를 먹는다.

어머니는 그 어떤 짧은 끈도 잘 묶어 내신다. 손이 투박한 나는 아무리 시도해도 묶지 못할 정도의 짧은 끈마저도. 어릴 때부터 몇 번이고 흉내 내려 했지만, 나의 매듭은 항상 헐겁기 그지없었다. 오랜만에 들른 본가에서 무생채와 간 마늘을 검은 비닐봉지에 넣으며 매듭을 묶으시는 어머니의 손을 멍하니 바라봤다. 눈에 띄게 마른 손으로 묶으신 매듭은 변함없이 단단했다.

먹고 살기에 바쁜 삶은 아들로서의 나를 잊기에 적절한 핑곗거리가 되곤 한다. 가끔 혼자 컸다는 양 당당해지기도 하고, 당신들 앞에만 있으면 한없이 퉁명스럽고 짜증스러운 아들이 되기도 한다. 이렇게 몸뚱이만 커진 나는 혼자 남게 될 그 날이, 매듭을 힘겹게 묶을 그 날이 두렵기만 하다.

서툴러도
괜찮아

어느 늦여름의 저녁, 폭우가 쏟아지는 날의 운전은 다시 생각해도 끔찍했다. 날은 이미 저물어 어두운 데다 사나운 빗줄기로 시야는 좁디좁았다. 잠실대교를 건너 잠실역 큰 사거리 신호등이 빨간불로 바뀌기 직전, 정지선 앞에 간신히 멈췄다. 세차게 내리는 비는 금방이라도 차 앞유리를 깰 기세였고, 불안한 눈길로 신호가 바뀌기만을 기다렸다. 운전을 시작한 지 얼마 되지 않았던 나에겐 눈앞의 모든 것이 불안했다. 희끗희끗한 차선도 폭우 때문에 제대로 보이지 않아 혼란스럽기까지 했다. 다른 차라도 앞에 있었다면 그 차를 따라갔겠지만, 내 앞엔 아무도 없었다.

운전이 두려웠던 나는 사실 운전면허를 딸 생각이 없었다.

불쑥불쑥 끼어드는 차들 때문에 조수석에 앉아있어도 운전자보다 더 놀라고 겁나던 경험들 때문이었다. 하지만 사회생활에는 운전면허가 꼭 필요하다는 조언에 마음을 바꿔, 다소 늦은 나이인 스물다섯 살에 면허를 땄다. 신호등이 초록 불로 바뀌고 겨우 한 블록을 가는 동안에도 바닥의 차선은 좀처럼 구분하기 어려웠다. 차선 가시성이 이렇게나 떨어지는 도시 행정을 욕하기도 했지만, 이 모든 불안의 근원은 나의 미숙한 운전 실력 때문임을 잘 알기에, 원망은 그리 길지 않았다. 오히려 면허를 괜히 땄나 싶은 자책에 아주 천천히 차를 몰았다.

처음 자동차 핸들을 잡은 날을 기억한다. "제대로 좀 해요, 제대로 좀." 가뜩이나 정신없고 초조한 나에게, 조수석의 운전학원 강사는 고압적인 태도로 연거푸 짜증을 냈다. 운전을 배우러 온 사람에게 베테랑 같은 실력을 기대한 것인가. 강사의 태도는 도무지 이해할 수 없었지만, 그렇다고 화를 낼 순 없었다. 처음 겪는 상황에 잔뜩 움츠러든 터라 강사의 짜증을 계속 받아내야 했다.

그러나 문제는 강사가 아니라 나에게 있었다. 왕복 세 시간 거리의 운전 학원을 한 달 동안 그것도 새벽반으로 한 번도 빠지지 않고 열심히 다녔는데 정작 시험날 늦잠을 잤다. 학원으로 급하게 전화해서 가장 늦게라도 시험을 볼 수 있게 해 달라며 사정했고, 일단 오라는 말에 허겁지겁 택시를 탔다. 가까스로 시험은 치를 수 있다. 조금 긴장했지만, 한 달 동안 성실하게 연습해서 얻은 감각 덕분에 크게 불안하진 않았다. 최대한 침착하게 차를 몰았고, 다행히 한 번에 합격할 수 있었다.

　성실한 연습 덕분에 운전면허는 취득했지만, 또 다른 문제가 있었다. 차를 운전할 기회가 많지 않아, 가뭄에 콩 나듯 띄엄띄엄했던 운전이 다시 불안을 불러들인 것이다. 몇 달 만에 한 번 운전하게 되면, 조수석에서 나를 나무라던 그 운전학원 강사가 옆에 앉아 있기라도 한 것처럼 잔뜩 위축됐다. 안 그래도 조심스러운 성격인데 운전은 그보다 더욱 조심스러웠다. 그런 데다 폭우까지 만났으니, 불안하지 않으면 그게 더 이상하고 위험할 상황이었다. 결국 차선을 간신히 더듬으며 목적지에 겨우겨우 도착했다.

　다행히 그날 이후로 꾸준하게 운전할 수 있는 시기가 있었고, 그 덕분에 지금은 운전을 제법 능숙하게 한다. 핸들을 잡아도 더는 불안하지 않다. 운전면허 학원에서의 첫날을 떠올리면 천지개벽할 수준의 편안함이다.

　머리를 식힐 겸 떠난 제주도 여행의 셋째 날, 저녁부터 비가 내렸다. 제법 굵은 빗방울이었다. 낮에 해안도로를 달리며 청량감을 맛보기도 했지만, 이대로 들어가기엔 왠지 아쉬웠다. 숙소로 향하던 도중 바닷기가 보이는 한적한 공터에 차를 세워두고 쏟아지는 비의 운치를 즐겼다. 번잡했던 하루가 빗소리 하나로 정리되는 듯한 느낌이 썩 괜찮았다. 해안도로를 달리며 맡았던 바닷바람의 그 짠내 섞인 시원함이나, 한적한 곳에 차를 세워두고 듣는 차분한 빗소리는 면허가 없었다면 모를 수도 있었을 즐거움이었다.

모든 서투름에는 불안이 따른다. 개인마다, 상황마다 차이가 있을 뿐 압박감이나 긴장감은 피하기 어렵다. 하지만 긴장감에 눌려 그대로 포기한다면 누리지 못할 것들이 생긴다. 즉, 떠나고 싶은 곳으로 차를 몰고 가기 위해선 서툴러도 핸들을 잡아야 한다는 것이다. 핸들을 처음 잡는 순간은 누구나 불안하다. 하지만 그 불안은 분명 꾸준함으로 덜어낼 수 있다. 극복할 수 있는 불안이 있다는 것이 얼마나 다행인가.

치과에서

병원을 기분 좋게 방문한 적이 드물다. 특히 치과는 입구에 들어가는 순간부터 오감을 곤두서게 한다. 특유의 소독약 냄새, 보기만 해도 아찔한 주삿바늘, 치아가 갈리는 날카로운 굉음까지. 치과는 언제나 공포 그 자체다.

어릴 적엔 치과에 다녀온 뒤 오락실에 가곤 했다. 어머니께서는 치과의 공포를 극복한 대가로 100원을 주셨고, 신이 난 나는 한달음에 오락실로 달려갔다. 그 당시 내가 즐겨 했던 게임은 테트리스. 어머니가 주신 100원으로 테트리스 할 수 있다는 들뜬 마음은 치과의 공포를 누그러뜨리는 데 꽤 효과적이었다. 유난히 공포가 심했던 날엔 돈가스를 먹는 포상도 함께했다. 어린 날의 그 포상들은 날카로운 소리가 튀어 다니는 치과에서 겪는 공포를 참아 낼 충분한 이유였다.

얼마 전 어금니 쪽의 극심한 통증으로 집 근처 치과에 들렀다. 의사는 치아가 미세하게 깨져, 깨진 곳에 금속을 덧씌우는 치료를 받아야 한다고 했다. 그리곤 순식간에 몇십만 원이 증발했다. 마치 주사보다 무섭게 느껴지는 지출의 아픔. 어른이 되고 나니 치과는 어릴 때와는 다른 의미로 무서운 장소가 되어 있었다.

치과에 가면 환자는 장시간 입을 크게 벌리고 있어야 한다. 물론 오랜 시간 입을 벌리고 있어야 하는 것이 환자의 의무이긴 하지만 삼, 사십 분 입을 벌리고 있는 건 여간 어려운 일이 아니다. 초록색 천을 얼굴에 덮은 채 몇 가지 기구들이 두서없이 입으로 드나드는 것을 허용하기란 참 쉽지 않다. 내 입 안에서 무슨 일이 벌어지는지 알 수 없는 두려움을 견뎌야 하는 건 물론이고, 입안에 물이 고여 간신히 코로 숨을 쉬어야 하는 불편함도 감수해야 한다.

그날 역시 그런 불편함을 견뎌내던 날이었다. 입을 벌린 채 얼마의 시간이 흘렀을까. 얼굴을 덮은 초록색 천이 슬금슬금 코 밑으로 밀려 내려오기 시작했다. 천이 완전히 내 콧구멍을 덮었을 때쯤, 불쑥 숨이 잘 쉬어지지 않음을 인지했다. 태어나

처음 겪는 공포였다. 낯선 공포에 정신은 서서히 아득해졌고 급기야는 숨을 어떻게 쉬었더라, 숨 쉬는 방법까지 생각나지 않았다. 숨 쉬는 것만큼 단순한 활동이 마치 어려운 수학 문제를 푸는 것처럼 느껴졌다.

숨이 막혀 죽을 것 같은 와중에도 나의 이성과 본능은 치열하게 싸웠다. 본능은 치료에 집중하고 있는 의사에게 당장 치료를 중단하라고 요구했지만, 이성은 거의 다 끝났을 테니 조금만 더 버텨보자며 나를 설득했다. 그 사이에서 내가 할 수 있는 행동은 코를 막고 있는 초록색 천을 움직여 호흡을 트이게 하는 것뿐이었다. 그러나 그것도 잠시뿐, 곧 숨이 멎을 것 같은 공포가 계속됐다. 마치 물속으로 가라앉는 기분이었다. 치료실 안에 울리고 있던, 나온 지 10년도 더 된 원더걸스의 노래는 마치 나를 위한 장송곡처럼 들렸다. 그렇게 괴로움에 몸부림치다 가까스로 치료가 끝났다. 초록색 천이 걷히자 입과 코로 거친 숨을 토해냈다.

진이 빠진 채 치과에서 나와, 그 길로 정신 의학과에 갔다. 바로 정신 의학과를 찾을 정도로 당시 내 상태는 매우 심각했다. 의사는 내가 겪은 상황을 공황이라 진단했다. 의사가 설명하길 공황이란, 찻잔의 물이 가득 차 찰랑거리듯 아슬아슬한 상태가 계속되는 것이라고 했다. 금방이라도 물이 넘칠 듯 긴장된 상태를 유지하다 특수한 상황에 의해 감당하기 힘든 자극이 가해지면 찻잔의 물이 넘쳐흐르는데, 그게 바로 공황(패닉) 증상이라는 것이었다. 의사는 긴장 상태를 완전히 해결하는 것보다 완화하는 것이 현실적인 방법이라며 약물치료를 권했고, 이미 죽을 것 같은 극한의 공포를 경험한 나로서는 거절할 이유가 없었다.

그 후 치과에 가기 전 주문을 외우듯 약을 먹었다. 다행히 공황 증상은 그 강도가 제법 줄어들었지만, 치료를 받는 동안 불쑥불쑥 찾아오는 답답함에 현기증을 자주 느꼈다.

깨진 치아를 치료한 지 8개월이 지났고, 드디어 대장정의 마지막 날이 되었다. 가벼운 마음으로 의자에 누워 치료를 기다리고 있는데, 잊고 있던 사실이 떠올랐다. 약 먹는 걸 깜빡한 것이다. 그 사실을 인지한 지 얼마 지나지 않아 등줄기에 땀이 솟구쳤다. 그래도 오늘이 마지막인데 일단 참아보자는 생각에 호흡을 정리하며 애써 다른 생각을 떠올렸다. 그러나 노력은 이내 물거품이 되었다. 입안에 물이 고이자 또다시 숨 쉬는 방법을 잊은 듯 숨이 막혀왔다. 스케일링을 진행하는 치과 위생사가 입을 한 번 헹구라는 말을 나에게 건넸을 때, 겨우 운을 뗐다.

"죄송한데… 제가 공황이 있는데 물이 입에 고이면 힘들어져서…"

"아, 그러세요? 죄송해요. 물은 그때그때 제거해드릴게요. 힘드시면 손들어주세요."

　어렵게 꺼낸 고백이 나를 구원한 걸까. 증상은 간신히 견딜 수 있을 정도로 가벼워졌고, 치료를 가까스로 끝낼 수 있었다. 무사히 치료는 끝났지만, 온몸은 긴장을 견디느라 찌뿌듯했다. 치과에서는 공감각적인 공포만으로도 힘들었는데, 이제 공황 증상까지 감당해야 한다는 생각에 맥이 풀리기도 했다. 언젠가 치통이 일어나면, 그땐 치아보다 내 정신을 먼저 걱정해야 할지도 모른다. 그래도 그런 곳에 당분간 가지 않아도 된다는 사실은 어렸을 적 테트리스나 돈가스에 버금가는 포상이었다. 숨 쉬는 방법을 잊어버리는 공간엔 단 1초라도 머물고 싶지 않다.

―――

나도
모르는 장래 희망

나는 어릴 때 무언가 되고 싶은 게 딱히 없었다. 그래서 장래 희망, 흥미를 묻는 종이를 받을 때면 항상 난감했다. 객관식 문제처럼 정답을 고를 수 있었다면 그나마 나았겠지만, 나는 무슨 직업을 가지면 좋을지 몰랐다.

열두 살의 그 날도 어김없이 종이를 받았다. 빈칸을 채우지 않으면 큰일이라도 날 것 같아 일단 둘러대듯 과학자라고 적었다. TV에서 종종 봤던 과학자가 멋져 보였던 걸까. 장래 희망과 짝을 맞추기 위해 흥미 칸에는 과학책 읽기라고 채웠다. 어렵사리 칸은 채워 넣었지만, 진짜 내가 되고 싶은 건 과학자가 아니었다. 아니, 사실 되고 싶은 게 없었다.

어느 TV 프로그램에 출연한 초등학교 5학년 아이에게 요즘 무엇이 가장 힘드냐고 묻자, 아이는 이렇게 대답했다.

"아직 정하지도 않은 꿈을 정하라고 강요받는 게 가장 힘들어요."

그렇다. 아주 먼 미래에 가질 직업을 구체적으로 적어야 하는 건 힘 빠지는 일이다. 내가 누군지, 어떤 걸 잘하는지 나도 아직 모르는 데 말이다. 그 아이의 대답은 내가 장래 희망을 고민하며 종이에 적던 순간과 크게 다르지 않아 보였다.

장래 희망을 쓴 날부터 십여 년이 흘러, 적성이나 흥미와 상관없이 성적에 맞춰 영문학과에 진학했다. 놀라운 건, 그때까지도 어떤 직업을 가져야 할지 미래가 그려지지 않았다. 누군가 물어보면 대답할 몇 가지 직업을 머릿속에 그려봤지만, 현실적으로 실현할 수 있을지 나조차 확신이 서지 않았다.

대학교 3학년 시절, 여자친구 S와 떡볶이를 먹고 있었다. 이런저런 시답잖은 얘기를 하다가 S가 대뜸 물었다.

"오빠는 졸업하고 뭐 할 거야?"

아무 생각 없이 떡볶이를 삼키다가 S의 질문에 목이 콱 막혔다. 졸업 이후 뚜렷한 목표가 있던 것도 아니었다. 하고 싶은 일이 있던 것도 아니었다. 영문학과를 졸업하면 통역이나 번역, 영어 교사를 하는 게 일반적이었지만, 내 영어 실력은 직업으로 삼을 정도는 아니었다. 설령 그만한 실력이 된다고 해도 영어와 관련된 일을 정말 하고 싶은 건지, 내 마음을 알 수 없었다. 그저 학과 공부만 겨우 하는 중이었으니, 졸업 후 무엇을 할 것인지에 관한 질문은 난제 중의 난제였다. 뭘 해야 할지 나도 모르겠다며 불안을 토로하는 것이 내가 할 수 있는 답의 전부였다. 사실 S의 질문이 아니었더라도, 어떤 일을 하고 살지는 언젠가 스스로 던졌어야 할 물음이었다.

*

졸업을 앞두고 작곡에 취미를 붙였다. 작곡하는 친구가 내 흥얼거림을 듣고 작곡을 권한 게 계기였다. 목소리가 좋다는 주변의 평가에 노래도 직접 부르기 시작했다. 음악 작업은 시간 가는 줄 몰랐고, 이대로라면 평생을 해도 괜찮을 것만 같았다. 취업 준비생이 되는 고통보다는 즐거움을 따라가기로 했고, 졸업과 동시에 취업 대신 음악을 선택했다.

고3 시절부터 아주 가끔 시를 썼다. 아무에게도 보여주진 않았지만, SNS를 시작하면서 하나씩 올렸다. 친한 형이 그 시들을 보고는, 시집을 내보면 좋지 않겠냐고 권했다. 이에 용기를 내서 출판사에 투고했고, 운이 좋아 시집까지 출간할 수 있었다. 그렇게 몇 년이 지난 후 나는 싱어송라이터, 그리고 작가가 되어 있었다.

현재 나의 직업은 과거에 장래 희망으로 적었던 과학자나 대학 전공과는 아무 관련이 없다. 아무래도 나는 창작을 하고 싶었나 보다. 이렇듯 내 흥미와 장래 희망을 발견하기까지 약 30년이 걸렸다. 어린 날 나도 모르던 장래 희망을 적어냈던 종이는 나에게 무슨 의미였을까. 그 종이에 싱어송라이터나 작가를 적었다면 내 인생은 크게 달라졌을까.

어쩌면 '장래 희망' 네 글자가 우리를 더 어렵고 복잡하게 만드는 건 아닐까.

―――――

외로움과
고독의 경계에서

　이십 대 중반까지 나는 사람들과 함께 있는 시간만을 의미 있다고 여겼다. 혼자 보내는 시간은 세상과 단절된 듯한 고립감이 들었던 것에 반해, 사람들과 함께일 땐 없던 활력도 생겼기 때문이다. 그래서 누군가와 만날 약속을 잡는 일에 항상 열정적이었다. 열정을 쏟은 만큼, 미처 약속을 잡지 못한 주말이면 대책 없는 허탈감과 소외감에 시달리곤 했다.

　성인이 된 후로는 유독 술자리가 좋았다. 시끌벅적한 분위기는 중독과도 같아서 취기와 피로가 머리끝까지 차올라도 집에 가지 않았다. 술자리에서의 시간은 허무할 정도로 빠르게 흘러갔지만, 정작 집에 돌아가는 길은 한없이 길고 쓸쓸했다. 여러 사람과 웃고 떠들 때의 나는 분명 색깔이 선명한 사람이었는데, 쓸쓸히 집으로 향하던 나는 그저 무채색의 사람이었다. 더욱이 숙취에 시달리는 다음 날 아침은 쓸쓸함의 민낯을 발견하는 시간이었다. 그렇게 술자리에서의 즐거운 나와 쓸쓸하게 집에 돌아가는 나, 이 둘은 낮과 밤처럼 무수히 반복됐다.

*

졸업한 후에도 종종 찾아뵙는 교수님께 원고가 잘 안 써진다며 걱정을 토로했다. 교수님은 그런 나에게 도움이 됐으면 좋겠다고 하시며 철학자 사르트르에 관해 얘기해 주셨다.

"원영 씨는 고독과 외로움의 차이를 알아요?"
"글쎄요. 두 단어 모두 부정적인 어감이긴 한데, 정확히는 모르겠어요."

교수님의 설명에 의하면 사르트르는, 고독과 외로움이라는 감정을 아예 다른 개념으로 정의했다고 한다. 고독(solitude)은 주체적인 자아에 필요한 '자발적 격리'지만, 외로움(loneliness)은 타인과의 관계에서 '소외당하는 자아가 느끼는 감정'이라는 것이다. 고독사 등의 어휘로 인해 어감이 와전된 경향이 있지만, 한마디로 고독은 인간의 주체성과 자발성을 기반으로 한다는 것이다.

사르트르의 정의에 따르면 외로움이 전부였던 어린 날의 나에게 고독은 아예 존재하지 않는 개념이었다. 감히 생각도 하지 못했던 자발적인 격리. 자발적인 격리라니, 격리라는 단어부터 공포라고 여겼을 것이다. 교수님의 짧은 강의를 듣고 집으로 오는 길에 내 고독과 외로움의 경계를 생각했다.

스물다섯 살에 무작정 인도로 여행을 떠난 적이 있었다. 당시 여행의 '여' 자도 몰랐던 내가 오롯이 홀로 여정을 헤쳐나가야 했기에 이 여행은 아직도 나의 뇌리에 선명한 기억으로 남아있다. 홀로 떠나는 여행이 외롭거나 불안할 거라고 지레 겁먹었던 것과는 달리, 막상 떠나보니 그리 불안하지 않았다. 그럴 틈이 없었다고 해야 할까. 목적지를 향해 움직이고, 처음 본 사람들과 대화를 나누고, 예상치 못했던 상황을 홀로 극복하는 과정은 즐거움으로 가득했다. 그 역동적인 흐름에서 나는 인간관계에 관한 문법을 새로 배웠다. 현지인들과 짧은 담소를 나누다 각자의 길을 떠난다거나 우연히 만난 여행자와 동행하다가 갈림길에서 이별하는 일은 지극히 자연스러운 과정이었기 때문이다. 이 자연스러운 행위들은 그동안 외로움을 사람들과의 만남으로 해결하려던 내게 일종의 떠나보내는 연습이었다.

또한 그곳에서 낯선 나를 발견하기도 했다. 일상에서는 좀처럼 가만히 있질 못하던 내가 여행 중에는 경치가 좋으면 몇 시간이고 멍을 때렸다. 낯선 여행지에서는 일상의 번잡함이 끼어들지 않아 멍때리기에 최적이었다. 그렇게 갖게 된 사색의 시간. 주제는 '나'였다. 지난 여정을 복기하고, 조금 더 먼 나의 과거를 복기하고, 내가 하고 싶은 게 무엇인지를 생각했다. 그 밖에도 사색할 거리는 넘쳐났다. 어영부영 흘러가는 인생을 일시 정지하고 숨을 고르는 기분이었다. 문제만 열심히 풀다가 처음으로 오답 노트라는 것을 적기라도 한 것처럼. 멍때리기는 여행이라는 고독 안에 또 다른 고독이었다.

첫 여행에서 돌아오니 후유증이 상당했다. 다시 여행이 떠나고 싶어진 것이다. 돈을 모아야 했고, 바로 아르바이트를 시작했다. 그렇게 돈을 모아 다시 여행을 떠났다. 여행에서 돌아온 뒤에도 어떻게든 여행을 떠날 궁리를 했다. 몇 번의 여행을 다녀오면서 나의 관심은 타인이 아닌 나로 바뀌어 있었다. 여행 떠날 생각을 하느라, 타인에게 관심을 가질 시간이 없었기 때문이다.

그동안 외로움은 나를 갉아먹는 불편한 감정일 뿐이었다. 그 외로움 때문에 끊임없이 타인에게 의존했고, 타인과의 관계에서만 나를 발견하려고 했다. 그야말로 수동적인 존재였다. 외로움에서 비롯된 나의 공허함을 사람들과의 관계로만 채워 넣으려고 하다 보니, 소외감을 자주 느꼈다. 그리곤 또다시 외로움을 느끼는 악순환이 반복되었다. 그 질긴 악순환은 여행하면서 처음으로 자취를 감췄다. 내게 여행은 고독을 일깨우는 시간이었다. 그렇게 4년 동안 여행과 음악 창작으로 외로움을 숙성시키고 나니 조금은 성숙해진 기분이었다. 고독으로 체력을 쓰고, 쉼을 통해 다시 체력을 채웠다. 외로움에 고통받았을 땐 남아도는 체력과 시간을 어떻게 소모해야 할지 몰라 문제였는데.

외로움 따위는 다 극복했다고 자신하는 나지만, 자만이 지나쳐 다시 외로움이 엄습해올 때가 있다. 그럴 땐 만날 사람을 찾던 옛 버릇이 나도 모르게 튀어나온다. 하지만 그 뒤에 찾아오는 공허함을 이젠 잘 알기에 바로 정신을 차린다. 그리고는 다시 고독하려고 애쓴다.

자신을 스스로 소외시키지 않으려면 고독에 익숙해져야 한다. 그러려면 외로움과 고독의 경계를 잘 알아야 한다. 어디까지가 외로움이고, 어디까지가 고독인지. 그리곤 고독을 향해서 한 발자국만 떼면 된다. 더도 말고 덜도 말고 딱 한 발자국만.

저한테
왜 그랬어요

　망각은 축복이다. 인간이 과거의 상처를 딛고 평탄하게 살도록 돕기 때문이다. 하지만 그런 망각이 통하지 않는 순간이 있다. 흔히 트라우마라고 하는, 애써 묻어 두었던 상처가 다시 터지는 순간이 그렇다. 트라우마는 주로 어릴 때 생긴다. 아직 나를 보호하기에 정신적으로나 육체적으로 미성숙할 때 말이다. 나에게도 어릴 적 생긴 트라우마가 있다. 20년이 더 지난 지금도 파래를 보면 나는 또 열두 살의 그 날로 놀아간다.

　4교시의 끝을 알리는 종은 왜 그렇게 더디던지, 교실 뒤에 걸린 애꿎은 시계만 쳐다보며 점심시간을 기다렸다. 점심시간은 허기진 배를 채우는 은혜로운 시간이기도 했지만, 무엇보다 여유로움을 만끽할 수 있는 시간이었다. 밥을 빨리 먹는 만큼

쉴 수 있는 시간도 늘어났기에 흡입하다시피 밥을 해치우고는 공을 가지고 운동장으로 달려가거나, 책상에 팔을 기대고 누워 달콤한 낮잠을 즐기곤 했다. 그랬기에 점심시간은 나를 포함한 많은 학생에게 즐거운 시간일 수밖에 없었다.

마냥 즐거워야 할 점심시간, 나는 식판에 놓인 파래를 두고 심각한 고민에 빠졌다. 이 끔찍한 반찬을 당장 먹지 않으면, 호랑이 같은 담임 선생에게 혼날 게 분명했다. 하지만 파래 냄새만 맡았을 뿐인데 특유의 비린내에 헛구역질이 났다. 도저히 견딜 수 없었다. 순간 '바닥에 떨어진 음식을 누가 먹으라고 할까?' 싶은 얕은 생각이 들었고, 내 눈엔 흉물스럽기만 한 파래를 바닥에 툭 떨어뜨렸다. 교탁에서 식사 중인 그가 날 보고 있다는 사실은 꿈에도 모르고.

당시 우리 반에는 각자가 받은 음식을 무조건 다 먹어야 하는 규칙이 있었다. 음식을 다 먹지 않으면 담임 선생은 불같이 화를 내곤 했다. 그런 상황은 도저히 겪고 싶지 않아서 일부러 파래를 바닥에 떨어뜨린 것이다. 끔찍한 파래를 먹지 않아도 된다는 안도감을 느끼기도 전에, 담임 선생은 나를 교실 앞으로 불러냈다. 칠판 앞에 서 있던 그는 어른 이상의 무서운 존재였다. 호랑이가 사람의 모습으로 변한다면 딱 이 모습일 것 같았다. 커다란 덩치의 그는 무서운 얼굴로 내가 무얼 잘못했는지 추궁했고, 그제야 내 행동이 들켰음을 알았다. 우물쭈물 아무 말도 못 하고 있는데, 예상치 못했던 상황이 벌어졌다.

그가 강한 발차기로 내 배를 가격했다. 그리고 연이어 손바닥으로 내 뺨을 때렸다. 가끔 부모님께 손바닥이나 종아리를 맞은 적은 있었지만, 그런 날것의 폭력은 처음이었다. 교탁 옆에서 시작된 폭행은 교실 앞문까지 이어졌고, 바닥에 구르던 나를 다시 세워 뺨을 때리고 발길질을 해댔다. 야만적인 그의 폭력은 훈육에 필요한 체벌 수준에서 한참 벗어난 것이었다.

그렇게 폭행을 당한 뒤 나는 아무에게도 말하지 못했다. 담임 선생에게 따질 수 없었음은 물론이고, 내 몰골을 본 부모님에게조차 사실대로 말할 수 없었다. 부모님께 말을 해도 크게 달라지지 않는다는 것을 이미 알고 있었다. 지금과는 다르게 교권이 비대했던 시절이었음을 어린 나이였지만 짐작하고 있던 탓이다. 부풀어 오른 볼은 친구와 싸우다 그런 것이라며 둘러댔다.

한 사람을 이해한다는 건, 그 사람이 놓인 입장과 상황에 충분히 공감한다는 뜻이다. 20년이 지난 지금까지 그날의 폭력을 숱하게 떠올릴 때마다 담임 선생을 이해해보려 했지만, 도저히 공감할 수 없었고 그 행위를 인정할 수도 없었다. 그저 괘씸해서였을까, 아니면 내 행동이 그날 어떤 다른 일로 언짢았던 그의 마음을 자극한 것일까. 혹은 그 폭행이 다른 학생들에게 권위를 세우는 방법이었을까. 차라리 막대기로 종아리를 멍이 들도록 때렸다면 그를 '조금 과했지만, 훈육을 위해 매를 든 교사'로 이해했을지도 모른다. 하지만 몇 대를 맞았는지 가늠조차 못한 그 순간을 떠올리면, 교사가 아닌 짐승에게 맞았다는 기분마저 든다.

열두 살 어린이가 감당하기 어려운 폭력은 선생이란 존재에 대한 두려움, 어른에 대한 두려움, 신체적 고통에 대한 두려움이라는 흉터를 남겼다. 그날 이후로 파래를 보거나 냄새를 맡기라도 하면 재생 버튼을 누른 듯, 폭행을 당하던 순간이 떠오른다. 그렇게 나에게 파래는 그날의 폭력을 떠올리게 하는 불쾌한 매개체가 되었다.

최근 그 선생이 친구 아버지의 지인이라는 사실을 알았다. 당장에라도 찾아가서 영화 〈달콤한 인생〉의 그 유명한 대사처럼 "저한테 왜 그랬어요."라며 세상 억울한 표정으로 따져 묻고 싶었다. 정말 그러려고 마음먹었다가도, 맞은 사람만 기억하지 정작 때린 사람은 기억하지 못한다는 말이 떠올랐다. 설령 사과를 받는다 한들, 그 얼굴을 보는 게 더 끔찍할 것 같았다.

이제는 교사가 함부로 학생을 때릴 수 없는 시대가 됐다. 교사가 체벌하려고 하면 학생들이 스마트폰을 꺼내 촬영하기도 하는, 과거와 비교하면 상전벽해인 시대다. 그뿐만 아니라 학생이나 학부모에게 모욕을 당하면 보험금이 지급되는 '교권 침해 보험'이 생겼다는 뉴스를 보면 시대가 많이 달라졌음을 실감한다. 그래도 예전보단 지금이 더 나은 것 같다. 체벌과 폭력을 구분하지 못하는 짐승이 선생님 행세를 하던 그 시절보다는 말이다.

타인의
불안 1

P 이걸 어떤 단어로 표현할 수 있을까 싶은데, 한마디로 연애 공포지.

  타인은 어떤 불안을 느끼며 사는지 궁금했던 나는, 삼십 대 여성인 P에게 불안에 대한 주제로 인터뷰를 요청했다. 흔쾌히 응한 P는 담담하게 자신의 얘기를 꺼냈다.

나 연애 공포?
P 응. 사실 이건 없는 단어이긴 한데. 온전히 나로 사랑받지 못할 거란 생각이 만든 공포야. 강력한 패배감 같은 거지. 물질적이거나 외모적인 조건, 정신적인 조건을 모두 포함해서 나를 완전히 사랑해줄 수 있는 사람은 없을 거라는 생각.

나 지금까지 해왔던 연애들이 그런 영향을 준건가?

P 그렇지. 근데 웃긴 건 뭐냐면, 꼭 연애가 아니더라도 막연히 사랑에 대한 두려움이 있는 거야. 누군가에게 완전히 사랑받을 수 없다는 두려움이야, 부모님조차도.

나 너는 누군가를 전적으로 사랑하고 싶은 마음이 있어?

P 음, 그게 맹점인 거야. 나도 누군가를 그렇게 사랑할 수 없을 거 같거든. 두려움과 패배감을 깔고 그 위에 다른 무언가를 지어야 하는 거야. 연애라든지, 결혼이라든지.

나 조금 아슬아슬하다고도 느낄 수 있을 것 같은데.

P 아니, 그냥 인정하는 거야. 이 두려움을. 이게 몰랐던 두려움인데 갑자기 생겼어. 연애가 생각대로 되지 않는다는 걸 안 이후로 생긴 거지. 결혼할 사람이 있었는데 결혼의 문턱을 넘지 못했고, 그 이후의 연애가 안 될 때마다 트라우마로 남는 말이 있었는데, 다 나를 평가하는 말이었어. 너는 연애하긴 좋은데 결혼하긴 힘든 사람 같아. 너랑 있는 건 좋은데 끝까지 사랑할 수 없을 것 같아, 뭐 이런 말들.

나 드라마 작가도 아니고, 그렇게 구체적이고 잔인한 말을 한다고?

P 나랑 만나면 그런 감정이 드나 봐. 근데 이런 말들이 쌓이잖아? 그럼 나는 이제 다시는 서로가 좋아 죽는 사랑은 못 하겠구나, 하는 두려운 마음이 들어. 공포까진 아닐 수 있지만, 패배감인 거지. 체념이라고도 할 수 있고. 결국엔 인정하는 거

야. 아니다, 정신승리라고 해야 할까. 내가 이렇게 멀쩡하니까 언젠가 연애는 하겠지, 결혼은 하겠지, 하는 정신승리. 이건 결국 내 문제인 거야. 아 너무 머리 아프지?

　몇 번의 연애, 결혼을 준비하다 무산된 P가 그동안 들어야 했던 말은 너무도 구체적이어서 잔인했다. 그 말들이 쌓여 패배감으로 이어진 P는 온전한 사랑을 할 수 있을까 싶은 불안을 느끼고 있었다.

P 아, 최근에 생긴 두려움이 또 있어. '내가 만나는 이 사람이 범죄자면 어떻게 하지?'라는 두려움이야.
나 요즘에 데이트 폭력 사례를 자주 접하니까 그럴 수 있겠다.
P 특히 여성 피해자가 더 많잖아. 시의적 두려움인데, '갑자기 나를 해치진 않을까'하는 두려움인 거야.
나 아무래도 아무나 믿을 수 없는 시대라 그렇지.
P 집착이 심한 사람을 만난 적이 있었는데, 내가 이별을 얘기하면 어떻게 나올지 모르니까 그게 무서워서 이별을 한 달에 걸쳐서 했어. 아마 적지 않은 여성들이 느끼는 공포일 거야.
나 그럴 거 같아. 나도 전에 만난 여자친구가 연애 초기에는 집 주소를 안 알려주더라.
P 맞아. 혹시 헤어진 사람이 집 앞에 서 있으면 어떻게 하지? 건너편 찻길에서 기다리고 있으면 어떻게 하지? 차에도 함부

로 타지 못하고. 예전엔 이성에 대한 호기심이 있었는데, 이제는 호기심과 두려움이 공존하는 거야.

　지금은 믿을 사람 하나 없다, 이제는 오래 알아 온 주변 사람과 만나야 하는 거 아니냐는 P의 농담은 농담으로 들리지 않았다.

P 그리고 이런 게 있다. 예전에는 헤어지는 게 옵션이 아니었는데, 헤어지는 게 자주 반복되니까 이제는 누굴 만나든 아, 언제든 헤어질 수 있구나, 하고 생각하게 돼. 그래서 사랑이 마냥 좋지 않아. 절망이나 비참함이 가까이에 맞닿아 있지.

나 음…. 그럼 연애에 대한 두려움을 어떻게 극복하려고 노력해?

P 별다른 노력은 아니고, 그냥 연애를 해. 근데 연애가 하나씩 끝날 때마다 내가 얼마나 멋없는 사람인가를 보게 되거든? 그래서 헤어진 이야기를 잘 못 하지. 다른 사람들은 내가 아무 문제 없이 사는 줄 아는데 정작 나는 아니야. 아주 가끔 이런 두려움에 관해서 얘기를 할 때도 있어. 대신 지금은 안 그런 척, 다 극복한 척하면서. 아무렇지 않은 척 생각과 말은 정리해놨는데, 감정은 정리가 안 된 상태라 친구들 앞에서 막 울 때도 있어. 근데 친구들은 내가 괜찮은 척했어도 힘들다는 걸 다 알고 있더라. 그리곤 이렇게 말해줘. 그 누구의 잘못도 아

니라고. 쓰레기 한 번 만났다고 이 좋은 연애를 그만해야 하냐고. 그래서 으쌰으쌰 해서 다음 연애를 한다? 근데 그 연애가 또 끝나. 이젠 이게 내 연애의 패턴이 됐어. 문제는 점점 남자들이 없어져. 왠지 내 짝은 이제 없을 것만 같아. 아마 나처럼 몇 번의 연애를 실패한 삼십 대 초반 여자라면 내가 겪는 불안을 다 이해할 거야.

서른 즈음, 결혼이라는 관문 앞에서 많은 이들은 불안을 겪는다. 만나는 이성이 없으면 없는 대로, 만나는 이성이 있다면 있는 대로, 연애와 결혼을 쉽게 생각할 수 없다. 결혼 적령기에 접어둔 미혼 남녀라면 누구나 결혼에 대한 압박을 받지만, 남자는 조금 늦게 결혼해도 된다는 인식 때문일까, 그 압박은 여성에게 특히 더 가혹해 보인다.

여전히 우리 사회는 독신을 불행하다 여기고, 자발적 선택에 의한 비혼을 자발적 선택으로 인정하지 않는 분위기다. 다시 말해, 결혼이 쉽지 않은 이들에게는 결혼 외에 별다른 선택지가 없다는 것이다. 이런 사회 분위기에서 결혼 적령기에 접어든 남녀가 어떻게 불안하지 않을 수 있을까.

맞춤법

중학생이었을 때, '로써'와 '로서'가 헷갈린 적이 있었다. 학원 선생님이 피를 토할 듯이 설명해주시던 그 순간엔 알았다고 생각했다. 하지만 시험 문제에서 맞닥뜨린 '로써'와 '로서'는 그 의미가 뒤죽박죽이었다. 그 문제를 포함한 맞춤법 문제 대부분을 틀렸다. 선생님의 그 허탈한 표정이 아직도 생생하다.

한글 맞춤법은 언제나 어렵다. 30년 가까이 썼는데도 말이다. 내 머리가 그렇게 나쁜가 싶다가도, 맞춤법이 나만 어렵지 않을 거란 정신승리로 애써 나를 위로한다. 한글 맞춤법을 정확하게 구사하는 사람이 과연 몇이나 될까 싶은 의문이자 정신승리로 말이다.

한글 맞춤법이 어려운 데는 여러 이유가 있지만, 그중 하나는 불규칙성 때문이다. '몇 년'이나 '몇 달'과는 다르게, 날에 관해서는 '며칠'로 써야 한다. 그리고 '첫사랑'과 '첫걸음'은 '첫'과 명사를 붙여 쓰지만, '첫 화면'이나 '첫 여행' 같은 단어는 붙여 쓸 수 없다. 명확한 기준이 없는 탓에 어떤 것은 되고, 어떤 것은 안 되니 외워야 하는 수밖에 없다.

또한 방대한 양의 규정도 맞춤법을 어렵게 만든다. 국립국어원에서 발행한 '표준어 규정 해설집'은 250페이지가 넘는다. 웬만한 책 한 권 분량이다. 맞춤법을 따로 공부하지 않으면 완벽하게 구사하는 일은 결코 쉬운 일이 아니다.

단어를 오랫동안 보고 있으면, 단어 자체가 굉장히 낯설게 느껴지는 경우가 있다. 단어의 의미가 떠오르지 않고, 마치 처음 보는 글자 같다. 예컨대 꽃이라는 단어를 계속 응시하고 있으면 식물의 이미지가 연상되는 것이 아니라, 단순히 글자가 나열된 형태만 인식된다. 이를 의미 과포화라고 하는데, 뉴런이 같은 정보를 계속 받아들이면 피로감을 느껴 문자가 헷갈리는 현상을 일컫는다.

틀린 맞춤법을 반복적으로 봐도 이 의미 과포화가 일어나기도 한다. 이를테면 '얼만큼'은 틀린 맞춤법인데, 계속 보다 보면 이 단어가 왜 틀렸는지 의문이 든다. 의문이 반복되면 맞춤법의 옳고 그름을 판별하기도 전에, 단어 자체가 생소해진다.

처음 본 단어라도 된 것처럼. 이 현상을 일단 겪고 나면 맞춤법이 더 헷갈린다. 맞춤법 자체도 까다로운데, 검토하는 일마저도 쉽지 않게 된다.

 나에게는 맞춤법을 틀리게 쓰진 않을까, 하는 불안이 있다. 맞춤법은 버릇과도 같아서 스스로 알아차리기 쉽지 않다. 자칫하면 평생 틀린 채로 쓸 수 있다. 이 섬뜩한 사실 때문에 맞춤법에 관한 불안은 쉽게 사라지지 않는다. 그 불안은 맞춤법 틀리는 사람에 대한 인식이 좋지 못했던 데에서 비롯됐다. 혹시 내가 맞춤법을 틀린다면, 내가 타인에게 부정적으로 인식될 수도 있다는 걱정 때문이다. 시집을 출간하면서 작가라는 과분한 호칭으로 불리게 된 것도 그 걱정을 부풀렸다. '이 사람은 글을 쓴다면서 이런 맞춤법도 틀려?'와 같은 인식만은 피하고 싶은 것이다.

 고등학교 시절, 틀린 사실을 꼭 지적하고 넘어가는 친구가 있었다. 별것 아닌 대화 중에도 사사건건 걸고넘어졌다. 그때는 그게 그렇게 꼴 보기 싫었는데, 지금은 틀린 맞춤법을 지적해 줄 그런 친구가 한 명 있었으면 싶다. 물론 지적당하면 그 순간엔 쓰릴지도 모른다. 하지만 틀린 줄도 모른 채 영원히 쓰는 것보단 찰나의 쓰림이 낫다.

―――――

장마철엔
편한 잠이 없었다

　스물여섯 살의 여름, 나는 인도에 있었다. 때마침 장맛비가 내리기 시작했고, 비 오는 풍경을 찍고 싶어 골목을 어슬렁어슬렁 돌아다녔다. 우비를 뒤집어쓰고 카메라에 레인 커버까지 씌운 채로. 그러다 아이들 네댓 명이 떼 지어 노는 낯선 골목에 접어들었다. 그중 한 남자아이가 내 카메라를 보더니, 자기들을 찍어달라는 듯한 동작을 하며 나를 어딘가로 끌고 갔다. 심심한 참에 잘됐다 싶어 아이들 손에 이끌려 갔는데, 웬 건물 옥상이었다. 내가 머문 바라나시의 골목은 오물투성이라 아이들이 놀만 한 환경은 아니었다. 그래서인지 깨끗한 건물 옥상은 아이들에게 이미 거대한 놀이러였다.

　그곳에서 아이들은 장대비에 아랑곳하지 않고 뛰어다녔다. 까르륵거리며 도망치는 아이들과 물웅덩이에 넘어지며 웃는 아이들, 또 몇몇 아이들은 내 카메라를 보고는 우스꽝스러운 포즈를 취했다. 빗속에서 뛰어노는 아이들은 순수하게 비를 즐기는 듯했다. 아이들 사진을 찍다가 문득, 나도 이 아이들처럼 빗속에서 원 없이 놀던 시절이 있었음을 기억해냈다.

열 살 무렵 비 내리는 날엔 나 역시 옥상의 그 아이들처럼 비를 맞으며 놀았다. 산성비를 맞으면 대머리가 된다는 괴담이 조금 찜찜했지만, 친구들과 함께 노는 게 더 중요했다. 특히 빗속에서 하던 축구는 평소보다 더 즐거웠다. 진흙 위에 넘어지는 친구들을 보는 것도, 내가 뛰다가 넘어지는 것도 그렇게 웃겼다.

비를 여러 날 즐길 수 있는 장마철도 나쁘지 않았다. 방에 누워 쏟아지는 빗소리를 매일같이 감상했다. 빗소리가 세차게 들리면 집이 더 아늑하게 느껴졌다. 우산을 쓰고 지나가는 사람들을 베란다에서 구경하는 것도 썩 재밌었다. 옷이 젖은 채로 들어와 어머니께 혼난 순간을 제외하면, 비 오는 날엔 항상 묘하게 들떠 있었다.

가세가 기울어 반지하에서 살게 된 그 해에도 장마철은 어김없이 돌아왔다. 곤히 잠을 자고 있었는데, 불현듯 바닥이 축축해짐을 느꼈다. 그때 어머니가 나를 급히 깨우셨고, 내 손에 작은 바가지 하나를 쥐여 주셨다. 힘겹게 눈을 뜨니 사방이 물

바다였다. 어린 나는 어찌 된 영문인지도 모른 채 방안 가득한 빗물을 작은 바가지로 퍼내야 했다. 졸린 눈을 비빌 틈도 없이. 숨을 고를 만하면 다시 빗물이 집안으로 넘쳐 들어왔다. 세상의 모든 비가 우리 집으로 쏟아지는 줄 알았다. 반지하의 눅눅함은 겨우 참을 수 있었지만, 장맛비에 잠겨버린 집은 열두 살 소년에게 견딜 수 없이 절망적이었다.

세 식구는 밤새도록 빗물을 퍼냈다. 새벽이 되면서 강수량은 조금씩 줄어들었고, 겨우 숨을 돌릴 수 있었다. 하수도가 밤새 내린 비를 감당하지 못해 역류하는 바람에 그 사달이 났음을 뒤늦게 알았다. 처음으로 비가 주는 공포를 실감했고, 나는 그때부터 비를 증오했다. 한 가족을 밤새 고통스럽게 만들고, 집을 엉망으로 망쳐 놓은 거대한 괴물 같았기에.

가재도구보다 많았던 책들이 대부분 젖어 버렸다. 거실과 문앞에서 젖은 책들을 말리느라 가뜩이나 좁은 공간은 더 좁아졌다. 문 앞도, 집 안도, 마음 편한 곳은 그 어디에도 없었다. 물난리가 났던 날부터 며칠 동안 불안한 마음에 잠을 설쳤다. 반지하의 집은 순식간에 빗물에 잠길 수 있는 불안한 공간이었으므로, 장마철 내내 편한 잠이 없었다. 어린 날의 소원은 그저 지상의 집으로, 비로 인해 고통받지 않는 집으로 이사가는 것뿐이었다. 장마가 지나가면서 가재도구며 책들은 서서히 말라갔지만, 축축하게 젖어버린 마음만큼은 쉽게 마르지 않았다.

가난을 정의하는 기준이 정확하게 무엇인지는 모르겠지만, 어린 내가 기억하는 가난은 장마철의 반지하였다. 장마가 시작될 무렵 찾아오는 눅눅함에 움츠러든 몸은, 가난이 남긴 흉터와 다름없었다. 돌이켜 보면 밤새 물을 퍼내야 했던 피로감보다 가난 때문에 그런 일을 겪어야 했다는 사실이 더욱 서글펐다.

그 후 몇 해가 지나가고, 우리 가족은 반지하를 겨우 벗어날수 있었다. 하지만 해마다 장마철이 돌아오면 그날의 기억들이 빗물처럼 차오른다. 퀴퀴한 곰팡내와 눅눅한 기운도 함께. 장마철 빗소리가 아직도 편치 않은 이유는 아무리 퍼내도 끝이 보이지 않던 빗물을 몸이 기억하는 탓이다.

얼마 전 영화 〈기생충〉을 관람하고 영화관을 나서는데, 마음 한구석이 쓰렸다. 기택의 집에서 어릴 적 내 모습이 스쳐 지나갔기 때문이다. 기택의 집은, 나에겐 너무도 익숙한 반지하였다. 빛이 들어올 리 없는 칙칙한 어둠과 곰팡이로 얼룩진 벽지, 물난리로 집이 물에 잠기는 장면마저. 먹먹해지는 가슴을 어쩔 도리가 없었다.

스물아홉 살, 부모님에게서 독립하기 위해 부동산을 돌아다녔다. 그때 방문한 모든 부동산 중개인에게 가장 먼저 꺼낸 말이 있었다.

"반지하는 빼고 보여 주세요."

꽃이 져도
봄은 다시 돌아오듯

    손 소독제가 어느새 텅 비어 있었다. 코로나 팬데믹으로 갑자기 멈춰버린 음악 연습실에 그래도 오간 인적이 꽤 있었다는 방증이었다. 코로나19 발생 초기엔 확진자가 늘어도 그리 불안하지 않았다. 그저 남들의 얘기일 거라고, 이러다 금방 끝날 일이라고 여겼다. 하지만 전과 같지 않은 매출을 보며 불안을 서서히 체감했다. 뉴스에서나 듣던 '경제가 침체됐다', '소비가 위축됐다'라는 흔한 문장이 나에게 현실이 되어 갔다. 연습실에 온종일 혼자 있던 날도 꽤 여러 날이었다. 연습실이 무인도라도 된 것처럼, 악기 소리가 들리던 날은 너무 먼 옛날인 것처럼. 어색한 정적은 낯설기만 했다.

    모두가 그렇지 않았을까. 당장 작년과 비교해 봐도 너무 달라져 버린 환경은 적응하기 곤란한 것투성이였을 것이다. 언제 어디서 감염될지 모르는 공포를 감당해야 하는 건 물론이고, 매일같이 마스크를 써야 하는 일은 많은 사람에게 고역이었을 것이다. 사회적 거리 두기가 강화된 시기에 밖으로 나가지 못하는 누군가에겐 그 몇 달이 고통이었을 것이다. 일하고 싶어도 일하지 못하는 사람들의 애끓는 마음도, 도저히 일할 수 없는 환경에 덩그러니 놓인 이들의 애타는 마음도. 우리는 낯선 고통에 어떻게든 적응해야만 했다.

지난 사진들을 보다가, 작년 이맘때 놀이 공원에서 찍은 사진을 봤다. 미세먼지 없는 화창한 가을날이었던 터라 마스크를 쓴 사람은 아무도 없었다. 그러고 보면 그때는 어딜 가나 체온을 잴 필요도 없었고, 손 소독제도 필수품이 아니었다. 감염병 사태를 키운 사람들에게 분노할 일도 없었다. 주기적으로 마스크를 사지 않아도 됐으며, 확진자 발생 문자에 불안해하지도 않았다. 일 년 전엔 당연하지 않았던 것들이 서글프게도, 지금은 일상이 되어 있었다.

전문가들은 코로나 팬데믹을 기점으로 과거와 같은 일상은 어려울 것으로 예측했다. 마스크를 영원히 써야만 할 것 같은 지금은 그 예측에 충분히 동조하고 있다. 생활에서 느끼는 불편함도 그렇지만, 먹고 사는 문제에 대한 걱정도 이제 일상이 되어간다. 쉽게 익숙해지지 않은 일상이다. 꽃이 지고 나서야 봄을 아쉬워하게 되듯이, 일상이 파괴되고 나서야 모든 것이 당연했던 과거의 나날들이 그리워졌다.

　새로 구입한 손 소독제를 연습실 복도에 놓아두면서, 손 소독제가 필요하지 않았던 날을 떠올렸다. 거짓으로 상황을 키우는 사람들이 사라지고, 분노가 사그라지는 시점이 되면, 혹은 백신이나 치료제가 개발되는 시점엔 다시 그날로 돌아갈 수 있지 않을까. 꽃이 지더라도 봄은 다시 돌아오듯.

2장

———

누구에게도
들키고 싶지 않은

———
그 해
여름

스물여덟 살, 대학 생활을 한 학기 남겨둔 나는 불안했다. 일단 들어가야 할 것 같아서 들어온 대학교를 관성처럼 다니고 있을 뿐이었다. 남들이 취업을 위해서 스펙을 쌓는 동안 나는 무엇을 하고 싶은지조차 몰랐다. 그야말로 혼돈의 시기였지만, 얼마 남지 않은 대학 생활이 끝나기 전에 뭐라도 해야 했다. 아무것도 하지 않으면 불안하니까. 게다가 이대로 밋밋하게 이십 대를 끝내고 싶지 않았다. 먼 훗날 내 이십 대를 돌이켜봤을 때, 젊음의 표상이었다고 평가할 만한 무엇이 필요했다. 마침 자전거에 취미를 붙인 즈음이라, 그 무엇인가에 대한 갈망은 자전거 전국 일주로 이어졌다. 우리나라를 자전거로 한 바퀴 돈다는 것은 아무래도 나의 젊음을 증명할 거대한 도전 같았다.

서울에서 출발하여 서해, 제주도, 남해, 동해 그리고 강원도를 지나 다시 서울로 오는 코스는 어림잡아도 한 달 여정이었다. 처음 이 여행을 목표로 잡았을 때 가벼웠던 마음은 구체적인 일정과 코스가 그려지자 점점 걱정으로 바뀌어 갔다. 정말 가능할까? 내 체력은 버텨줄 수 있을까? 40만 원 남짓한 초저예산으로 이 여행이 정말 가능할까?

　우선 숙박비는 1인용 텐트로 야영을 하면 아낄 수 있겠단 판단이 섰다. 체력은 자전거를 타다 보면 자연스럽게 늘지 않을까, 하고 낙관했다. 지금 생각해보면 정말 근거 없는 자신감으로 걱정을 덜어냈다. 그 외 다른 문제는 일단 여행을 시작한 후 생각하자 싶었다. 2주간의 짧은 준비가 끝나고 출발 당일, 페이스북에 자전거 여행 소식을 호기롭게 알린 후 짐을 싣고 집을 나섰다.

　내가 계획한 자전거 여행은 하루에 80~100km를 달려야 했다. 정해진 코스대로 가기 위해서 아침부터 정오까지 열심히 달렸고, 점심을 먹고 휴식을 취한 뒤, 강렬한 태양 빛이 시들해지는 오후 3시쯤부터 다시 열심히 페달을 밟았다. 저녁이 되기 전까지는 목적지에 반드시 도착해야 했다. 그런 정신없는 여정 덕분에 부지런히 페달을 밟는 동안엔 체력 걱정할 틈이 없었다. 여행을 떠나기 전에 했던 체력 걱정은 기우였다.

자전거를 타며 달리는 동안엔 시원한 바람에 땀이 식었다. 오후가 지나도 아직 후끈거리는 도로의 열기로 덥긴 했지만, 달리는 속도가 일정해지면 상쾌했다. 하지만 쉬기 위해 잠시 페달을 멈추면 그때부터 땀이 비 오듯 쏟아졌다. 꼭 이때를 기다렸다는 듯이. 그렇게 흘리는 땀은 마치 걱정과도 같았다. 멈추면 생기고, 달리면 사라지는. 생각해보면 모든 걱정이 그랬다. 눈앞에 놓인 현실적인 문제를 처리하다 보면 이전의 막연한 걱정은 잊게 됐다. 페달을 밟는 단순한 행위보다 중요한 일은 없었기에 자잘한 걱정들은 큰 의미가 없었던 것이다. 단순함의 미덕이다.

　서울을 떠나 수원, 홍성, 정읍, 나주를 거쳐 7일 만에 해남 땅끝마을에 도착했다. 땅끝임을 알려주는 비석에 서서 해무 가득한 바다를 바라보니, 장편 소설의 1장이 겨우 끝난 것 같은 후련함이 찾아들었다. 하지만 그 후련함도 오래가지 못했는데, 제주도행 배를 타러 완도로 가는 길에 시야를 가릴 정도로 퍼붓는 폭우를 만난 탓이었다. 그 순간은 전국 일주가 중요한 게 아니라 생존이 문제였다. 히치하이킹으로 1톤 트럭에 몸과 자전거를 맡기지 않았다면 어떻게 될지 모를 일이었다. 트럭 운전사 아저씨 덕분에 목숨을 건지고 완도 여객선 터미널 앞에 도착했지만, 그날은 폭우로 인해 노숙이 어려워 찜질방에서 잘 수밖에 없었다. 다음 날이 되자 야속했던 비는 언제 그랬냐는 듯 그쳤고, 맑은 하늘 아래 제주도행 배에 올랐다.

전날의 폭우도 그랬지만, 자전거 여행 중엔 그만두고 싶은 위기의 순간이 자주 찾아왔다. 예산이 적은 여행이라 종종 마주하는 고난과 역경은 어쩌면 당연했다. 자전거 여행을 시작한 지 불과 이틀 만에 엉덩이에 생긴 종기로 인해 안장에 앉는 것조차 힘들었을 때, 집 떠나면 개고생이라는 문장을 몇 번이나 되뇌었는지 모른다. 거기다 국도 위주로 달릴 수밖에 없었는데, 차들은 왜 그리 빠르게 지나가는지, 집채만 한 트럭이 굉음을 내며 스쳐 지나갈 때마다 방향을 틀어 집으로 가고 싶은 충동이 절로 일어났다.

매일 적당한 장소를 물색해 텐트를 치고 자는 일도 쉽지 않았다. 도난의 위험이나 예상치 못한 상황들에 대비해 텐트 지퍼에 자물쇠를 채우기도 했지만, 긴장을 유지해야 했기에 편한 잠은 아무래도 어려웠다. 다음 날 새벽, 온몸을 두드려 맞은 듯 찌뿌둥한 상태로 일어나면 정말 이게 다 무슨 일인지, 그만두고 싶은 마음뿐이었다.

제주도 일주를 마치고 다시 전남 고흥부터 시작해 여수, 통영, 부산을 거쳐 울산에 도착한 19일째 되는 날, 이 여행을 당장 그만두고 싶었던 사건이 또 한 번 일어났다. 울산 시내에 접어들었을 때는 이미 늦은 저녁이었고 비가 부슬부슬 내리고 있었다. 마땅히 텐트 칠 곳을 찾지 못하다 태화강 변에서 겨우 찾은 정자에 텐트를 치고 잠이 들었다. 시간이 얼마나 흘렀을까, 별안간 텐트가 마구 흔들리기 시작했다. 심장이 금방이라도 터질 듯 쿵쾅대는 가슴을 부여잡고 나가보니 아저씨 한 명이 텐트를 사정없이 흔들고 있었다.

"너 뭐야? 여기 내 자린데 왜 여기서 자는 거야?"

텐트를 흔들고 있던 사람은 술 냄새를 그득하게 풍기며 불만 가득한 얼굴로 내 정체를 추궁했다. 머릿속이 혼란스러웠다. 하지만 그 아저씨의 물음에 대답은 해야 했으니 머릿속을 겨우 가다듬으며 난 학생이고 자전거로 전국 일주 중이었다며 내 정체를 밝혔다. 텐트 옆에 놓인 자전거를 뚫어지게 쳐다보던 아저씨는 무슨 결단이라도 내린 것처럼 단호한 표정으로 나에게 말했다.

"그래? 그럼 오늘만 내가 특별히 양보해주지."

무슨 사달이라도 날 것처럼 불안했던 상황은, 아저씨가 비틀대며 정자를 벗어나는 순간 정리됐다. 하지만 난생처음 겪는 자리싸움에 놀란 가슴은 한동안 진정되지 못했다. 그 순간엔 성인 남자의 커다란 덩치는 아무런 쓸모가 없었다. 흉기라도 들고 있는 사람이었다면 무슨 큰일이 일어날지 모를 상황이었다. 정신을 차려 주변을 둘러보니 비가 내리는 데다 새벽 어스름이 짙어 몇 시인지도 분간되지 않았다. 엄청난 위험에 놓여있었음을 자각하니 당장에라도 이 여행을 그만두고 싶어졌다. 그렇지만 이대로 그만두기엔 뭔가 억울했다. 이제 동해와 강원도만 지나면 긴 여정이 끝나는 시점이었으니, 어떻게든 이 여행을 마무리 짓고 싶었다. 여기서 그만두면 평생 후회할 것 같아서, 출발하던 날 페이스북에 올렸던 출사표 같은 다짐과 포부가 허무한 공수표가 될 것 같아서. 무엇보다 이 여정 끝에 서 있을 내가 어떤 모습일지 무척이나 궁금했기에 여기서 그만둘 수 없었다.

자전거 여행을 시작한 지 25일째 되는 날 집에 도착했을 땐, 자전거 꽁무니에 꽂아 둔 깃발은 모진 풍파를 제대로 맞아 꾀죄죄했고, 내 몰골도 크게 다르지 않았다. 몸무게는 무려 8kg이 빠져 있었고 얼굴은 새카맣게 그을러 있었다. 25일간 1,500km의 거리를 쉼 없이 달려온 풍찬노숙의 결정체였다. 그 해 여름을 온몸으로 맞은 듯.

집에 들어오자 상쾌함, 뿌듯함, 그리고 감동적이기까지한 감정들이 뒤섞였다. 무사히 완주했다는 안도감까지. 지금껏 목표를 정하고 그 목표를 성취하기 위해서 이렇게 온몸으로 애쓴 적이 있었나 싶기도 했다. 무모함과 지구력을 하얗게 불태운 여름이었고, 이 여행은 이십 대의 마지막을 장식할 만한 기념비적인 사건이었다.

하지만 여느 영화의 흐뭇한 해피 엔딩과는 달리, 현실은 여행 하나로 인생이 확 바뀌지 않았다. 여행 전에 가지고 있던 불안 또한 감쪽같이 사라지지 않았다. 취업과 내 미래에 대한 불안은 여전했고, 얼마 뒤 시작된 마지막 학기는 정신없이 지나갔다. 뜨거웠던 그 해 여름에 비해서 삶은 뜨뜻미지근했다.

모름지기
소중한 것은 외장 하드에

　희미한 기록이 또렷한 기억보다 정확하다는 말이 있다. 기억의 한계와 기록의 중요성을 역설한 문장이다. 실제로 유용성만 따져보아도 기억은 기록을 따라갈 수 없다. 하지만 아무리 유용한 기록도 제대로 보관하지 않으면 무용지물이다. 직장인들이 문서 작업 중 저장 버튼을 자주 눌러야 하는 것도, 창작자들이 편집 툴을 다룰 때 저장 버튼을 자주 눌러야 하는 것도 같은 이유다. 몇 시간을 고생해서 작업한 파일이 오류로 날아가는 것만큼 허무한 것이 어디 있겠는가. 저장 버튼을 성실하게 누르는 행위만으로도, 우리는 적잖이 안심할 수 있다.

　조선왕조실록을 네 군데에 나눠서 보관했던 것은 기록 소실의 피해를 최소화하기 위한 조상의 혜안이었다. 실제로 임진

왜란 중 세 군데의 보관소가 불탔지만 한 곳이 안전했기 때문에 조선왕조의 기록들이 현재까지 전해질 수 있었다. 이 점을 생각해 보면, 기록만큼이나 보존의 중요성을 이해했던 결과는 결국 '백업'이었다.

  기록을 잃어버리지 않기 위한 인간의 노력은 저장 장치의 발전으로 이어졌다. 카세트 테이프, 플로피 디스크, 하드 디스크, CD의 시대를 넘어 외장 하드와 클라우드로 연결된 지금은, 기록들을 저장하고 보관하는 것이 더욱 쉬워졌다. 하지만 내가 '외장 하드와 클라우드의 시대'를 받아들이기 직전, 처음 떠난 여행에서 찍은 사진들을 아버지 노트북에 잠시 저장해 둔 시기가 있었다. 내 컴퓨터 용량이 꽉 찬 탓이었다. 여유 공간이 넉넉지 않았던 카메라 메모리 카드는 새로운 사진들을 찍기 위해 포맷해야만 했다.

  한 달쯤 지났을까, 사진들을 내 컴퓨터로 옮기려고 아버지 노트북을 켜니 바탕 화면이 예사롭지 않았다. 바탕 화면에 꽤 많았던 폴더들이 눈에 띄게 줄어든 것이다. 마우스를 클릭할 때마다 묘한 불안감은 커졌고, 여행 사진들을 그 어디에서도 찾을 수 없자 어떻게 된 일인지 아버지께 여쭀다.

"내가 이번에 포맷이란 걸 배워서 해 봤다."

뿌듯해하시던 아버지의 한마디에 억장이 무너졌다. 곧바로 복구 업체에 문의했지만, '시간이 그 정도로 지났으면 복구할 확률은 확연히 떨어진다. 장담할 수 없다. 하지만 비용을 지불하셔야 작업에 들어간다. 비용이 꽤 든다.'라는 절망적인 답변만 들을 수 있었다. 불확실성에 투자할 만큼의 금전적 여유는 없었기에 별다른 방법이 없었다.

기록이 사라진다는 것은 안타깝고 슬픈 일이다. 어릴 적 사진들이 몇 번의 이사 도중 사라질 때도 그랬고, 어릴 때 친구들과 주고받았던 편지와 추억이 깃든 물건들을 잃어버렸을 때도 안타까움뿐이었다. 특히 사진은 그 시절의 단면을 제법 생동감 있게 기록해 놓은 도구이기도 하고, 미적 가치도 있었기에 포맷으로 사라진 사진들이 아쉽기만 했다. 첫 여행의 설렘 가득했던 순간들이 담긴 사진의 상실은 더더욱 아쉬웠다. 불행 중 다행인 것은 블로그에 올려놓았던 몇 장의 사진과 여행에서 만났던 일행에게 보낸 사진들만은 겨우 건질 수 있었다는 사실이다. 그것마저 구하지 못했다면 더 큰 실의에 빠졌을지도 모를 일이었다. 아버지의 포맷 사건 이후로 소 잃고 외양간 고치듯, 사진을 잃고 외장 하드를 구입했다.

개인의 역사는 한순간의 부주의로 사라질 수도 있다. 본인이

제대로 관리하지 않으면 언젠가 그 시절이 궁금한 날, 희미하고 불확실한 기억을 더듬을 수밖에 없다. 그런 탓에 지금은 사진을 찍을 때보다 사진 보관에 더 애를 쓴다. 지금까지 찍은 사진들을 외장 하드 3개와 클라우드에 나눠서 저장하는 것은, 조선왕조실록을 나눠서 보관하고자 했던 그 혜안을 뒤늦게 깨달은 바다. 개인의 역사를 보존하는 데 비용과 노력, 꼼꼼함이 제법 요구된다는 것을 너무 쓰리게 배웠다. 소중한 것은 마음속이 아니라 외장 하드에 저장해야 한다는 사실도.

―――

누구에게도
들키고 싶지 않은

햇볕이 집 안으로 들어올 일 없는, 곰팡내와 눅눅한 기운이 스며있는, 평지보다 내 키만큼이나 낮은 반지하 집. 앞으로 살게 될 이 집은 어린 나에게 받아들이기 어려운 현실이었다. 집이 많이 좁을 거란 어머니의 귀띔보다 더 좁고 퀴퀴한 반지하 집의 작은 풍경은 우울함 그 자체였다.

이사 오기 몇 달 전만 하더라도 우리 집은 평범했다. 부유하진 않지만 크게 불편함도 없는 정도였다. 게다가 요즘처럼 아파트 이름, 혹은 스마트폰 기종에 따라 친구의 부를 가늠하는 시절이 아니었기 때문에 누군가와 비교될 일도 없었다. 하지만 처음 겪는 반지하의 생활은 딱히 누군가와 비교하지 않아도 그것 자체로 꽤 우울하고 충격적인 일이었다. 그때 나는 처음으로 우리 집이 가난하다는 사실을 받아들였다.

반지하에 살기 시작하며 가장 먼저 피부로 와닿은 가난의 형태는 좁아진 공간이었다. 그동안 욕조가 있는 화장실이 당연하다고 생각했다면, 반지하는 그렇지 않았다. 가끔 욕조에 물을 받아 놓고 목욕을 즐겼던 여유는 모두 과거였다. 방도 마찬가지였다. 아버지의 수많은 책이 가뜩이나 좁은 집을 더욱 숨막히게 했고, 넉넉하지 못한 공간에 겨우 잠만 잘 수 있던 내방은 한순간도 내 것처럼 느껴지지 않았다.

당시엔 결핍이 일상이었다. 먹고 싶은 것을 먹지 못하는 것, 하고 싶은 것을 하지 못하는 일이 빈번히 일어났다. 내가 원하는 것을 얘기할 때마다 종교의 힘을 믿으셨던 어머니는 기도를 강조하셨지만, 나에게 기도는 안 된다는 것을 의미할 뿐이었다. 하고 싶은 것들이 이뤄지지 않는 삶에선 내가 무얼 잘하는지에 대해서, 무얼 하고 싶은지에 대해서 돌아볼 필요도 없었다. 그저 세상을 원망하는 데 익숙해져 갔다.

가난이 그토록 싫었던 이유는 사실 불편함보다 불안함 때문이었다. 나는 늘 과도하게 불안했다. 방심하면 누군가 이 가난을 금방 알아챌 것 같아서. 먹고 싶은 것을 못 먹으면 그걸로 그만이었다. 하지만 내가 먹고 싶은 음식을 살 수 없는 사람이라는 사실을 누군가 알게 된다면, 그것만큼 비참한 일은 없을 것 같았다. 친구들을 집으로 데려오는 일을 상상할 수 없었던 것은 그 수치심을 짐작한 탓이었다. 잘못한 게 없었지만, 가난은 잘못과도 같았다. 숨겨야만 했던 것. 숨긴 것들이 탄로 나는 참사가 벌어지지 않도록 빌며, 매 순간 처절하게 불안에 떨었다.

이 불안함은 특히 옷을 통해 빈번하게 일어났다. 그땐 옷을 사서 입는 경우가 거의 없었다. 대부분 어머니가 다른 집에서 받아 오신 옷들이었다. 알지도 못하는 사람의 옷을 입어야 했으니 그 옷들이 내게 딱 맞을 리 없었다. 항상 후줄근한 옷차림으로 생활해야 했고, 이 후줄근함으로 누군가 가난을 눈치챌까 두려웠다. 나에게 옷은 개성을 드러내는 수단이 아닌 그저 몸을 가리는 도구에 지나지 않았다.

중학교에 입학했을 당시 정해진 교복이 없었기 때문에 자유로운 복장으로 다녀야 했다. 하지만 가진 옷이 많지 않던 나는 겨우 몇 벌의 옷을 돌려 입을 수밖에 없었다. 어느 날, 가끔 어울리던 동갑내기 녀석이 운동장에서 친구들과 함께 있던 나에게 망신을 줄 속셈으로 빈정대며 물었다.

"너는 왜 볼 때마다 옷이 똑같냐?"

"…엄마가 빨래를 자주 해서 그래."

가난만큼은 다른 사람에게 들키고 싶지 않았는데. 현실은 잔인했다. 지금이라면 헛소리로 치부하고 넘겼을 그 킬킬대는 비아냥에, 숨기고 싶었던 최후의 비밀이 만천하에 확성기로 까발려지기라도 한 듯 당황했다. 결국 나는 아무 말이나 내뱉었다. 그날 집으로 돌아가 어머니에게 옷 투정을 심하게 부렸고, 어머니는 늘 그러셨던 것처럼 나에게 기도해 보자고 말씀하셨다.

며칠 뒤 어머니는 시장에서 셔츠 한 벌을 사 오셨다. 딱 봐도 저렴해 보이는 셔츠. 어머니는 그 셔츠를 내밀며 더 좋은 옷을 사주지 못해서 미안하다고 하셨다. 나는 그 저렴한 셔츠도 싫었지만, 미안해하시는 어머니도 싫었다. 사실 모든 게 싫었다. 반지하의 집도, 누구 것인지도 모를 옷들도, 나에게 비아냥댔던 그 동갑내기도, 그 비아냥에 아무 말이나 지껄였던 나도.

돌이켜 보면 비아냥거렸던 그 친구보다, 이상한 핑계를 대던 나보다, 투정 부리던 순간의 내가 가장 원망스러웠다. 속없는 내 투정 때문에 셔츠를 사시던 어머니는 어떤 마음이셨을까, 다른 집에서 옷을 얻어 오셨을 땐 또 어떤 마음이셨을까. 생각이 거기까지 미치자 가슴 끝이 따가웠다.

조롱당하는 것도 비참했지만, 그 수치심이 가족으로 향하는 분노와 절규가 된다는 사실이 더 큰 비극이었다. 다행히 얼마 지나지 않아, 개교 이래 처음으로 교복 착용이 결정됐다. 나에게 교복은 구원이었다.

남에게 드러내고 싶지 않은 부끄러운 비밀을 치부라고 한다. 나에게 가난은 치부와도 같았다. 평생 감추고 싶었던 부끄러운 것. 하지만 교복 덕분에 그 치부의 일부를 잠시나마 잊을 수 있었다. 누군가는 교복을 죄수복처럼 여겨 벗고 싶겠지만, 교복을 구원으로 여기는 이가 있다는 사실만으로도 교복의 가치는 충분하다. 혹여 가난을 들킬까 불안해하는, 가난을 잘못이라고 생각하고 있을 그 누군가에게는 말이다.

———

공짜 치즈는
쥐덫 위에만 있다

　친척 형의 유품이었던 고급 일제 자전거는 가난했던 열두 살 소년에게 유일한 보물이었다. 그 자전거는 97년 당시 수십만 원은 족히 넘었으니 말이다. 문구점 앞에 그 보물 같은 자전거를 세워 두고 작은 오락기를 뚫어지게 바라보고 있던 소년에게, 지나가던 아저씨가 뜬금없이 말을 걸어왔다. 소년을 비롯한 서너 명의 아이들이 있었음에도, 굳이 자전거와 함께 서 있는 소년을 지목해 집 나간 강아지를 찾아주면 만 원을 주겠다고 했다. 당시 오락 한 판 할 수 있는 100원도 귀했던 소년에게 만 원이란 단어는 솔깃한 정도가 아니었다. 당장에라도 찾아버릴 기세를 돋운 터라, 흔쾌히 아저씨를 돕기로 했다. 자전거를 끌고 아저씨를 따라 강아지 이름을 부르며 돌아다니길 10분이나 지났을까, 아저씨는 소년에게 이상한 제안을 했다.

"네 자전거 끄는 소리에 강아지가 무서워서 숨어 있는 것 같다. 저기 공터에 자전거를 세워 두고 찾아보자."

고무 재질의 바퀴에서 무슨 소리가 났던 걸까, 소년은 이 터무니없는 아저씨의 말을 믿어버렸다. 어이없게도 말이다. 소년의 머릿속은 이미 강아지를 찾아주고 손에 쥐어질 만 원으로 가득 차버려 냉정한 판단을 내릴 가능성은 조금도 없었다. 아! 미련한 소년이여!

사기는 욕심이 만들어 낸 허상과 그 허상을 향한 믿음으로 완성된다. 특히 욕심은 평정심을 일거에 무력화시키기까지 한다. 사기꾼들은 이 욕망의 메커니즘을 꿰뚫고 있기에, 사람들의 욕심을 매개로 술수를 부린다. 이 술수는 늪과 같아서, 한 번 믿기 시작하면 사소한 의심이 있더라도 끊임없이 믿게 만든다. 아무런 소리가 나지 않는 자전거가 아저씨의 말 한마디에 강아지를 무섭게 만드는 자전거로 인식된 것은 모두 욕망의 메커니즘 덕분이었다.

임시방편으로 바퀴에 자물쇠를 채우기는 했지만, 말 그대로 임시방편이었다. 적어도 공터 한복판이 아닌 그 어느 기둥에라도 자전거를 묶었어야 했다. 열두 살 소년이어도 할 수 있는 기본적인 의심과 판단을 하지 못했던 것은 만 원을 향한 욕심과 믿음 때문이었다.

공터에 자전거를 세워 두자, 지금까지 같이 다니던 아저씨
는 이제 갈라져서 동네를 돌아다녀 보자고 제안했다.(여기까
지 사건을 시간 순서대로 나열하면서도, 이렇게 답답할 수가 없다. 미
끼를 던져주고, 미끼에 반응하는 열두 살 꼬마가 얼마나 우습고 쉬웠
을까.) 그런데도 소년은 강아지를 찾는 데 필사적이었다. 어떻
게 생긴지도 모르는 강아지가 제발 내 눈에 띄어, 만 원으로
실컷 오락을 즐기는 해피 엔딩을 꿈꿨다. 하지만 아무리 찾아
도 강아지의 작은 흔적조차 찾을 수 없자 만 원에 대한 가능성
을 서서히 잃어갔다.

  모두 포기하고 집으로 돌아가야겠다는 생각에 자전거를 가
지러 공터에 갔지만, 그곳에 있어야 할 자전거는 그 어디에도
없었다. 그제야 뭔가가 잘못됐다는 생각이 든 소년은 이제 강
아지가 아닌 아저씨를 찾아 돌아다니기 시작했다. 강아지도,
아저씨도, 자전거도, 만 원도 그 어떤 것도 찾지 못한 소년은
울음을 터뜨리며 집으로 돌아가 어머니에게 자전거를 잃어버
린 상황을 설명했다. 어머니는 황당해하셨지만 일단 소년을
데리고 동네 파출소를 찾아가 사건을 접수하셨다. 사건이 일
어난 상황과 아저씨의 인상착의를 말하고 집으로 돌아왔지만,
그 후로도 그 아저씨의 소식은 들을 수 없었다.

  좋지 못한 일을 당하면 흔히 인생 수업료를 비싸게 물었다

는 셈 친다고 한다. 자전거를 잃어버린 일을 통해 소년의 마음엔 잊을 수 없는 거대한 상처가 났지만, 낯선 사람과의 관계는 경계할 필요가 있음을 배웠다. 그 어떤 사기도 당하지 않겠다는 결연한 의지까지 덤으로 얻었다. 어린 나이에 비해 (나에게 가장 값진 물건이었던 걸 생각하면) 터무니없이 비싼 수업료였지만 말이다.

공짜 치즈는 쥐덫 위에만 있다는 러시아 속담이 있다. 사기당할 위험이 널리고 널린 이 불안한 세상에서 나를 무장하는 데 가장 효과적인 속담이다. 사기를 당할 때, 인간은 자기객관화와는 거리가 먼 상태에 있다. 타인의 호의를 받아도 될 만큼 세상은 안전하다든지, 자신은 그런 호의를 받아도 될 만한 자격이 충분하다든지, 자신은 이 호의가 사기인지 아닌지 충분히 구별할 수 있다는 자만에 빠져있다. 사안이 사소하면 사소할수록 자기객관화는 더욱 어려워진다. 욕심은 쥐덫을 보지 못하게 만든다. 오직 치즈만 바라보게 할 뿐이다.

무조건 비관론자의 심장을 가지고 세상을 살아야 한다는 것은 아니지만, 낙관론자로만 살게 된다면 그 이후의 결과는 생각하고 싶지 않다. 나에게 있어서 믿을 것은 아무것도 없다. 나조차도 쉽게 믿으면 안 된다. 언제 우둔한 내가 되어 있을지 모르기 때문이다.

코로나19로 사회가 혼란을 겪고 있는 와중에 한 통의 문자가 왔다. 모 은행에서 차등 없이 공평한 조건과 저금리로 당일 승인되는 대출을 해준다는 내용이었다. 가장 먼저 뇌리에 스친 생각은 '왜?'였다. 아무리 경제가 침체됐지만, 신용도와 상관없이 승인해주는 저금리 대출이 세상에 어디 있단 말인가. 나는 그 문자를 지우면서 그날을 떠올렸다. 소년의 눈이 불안하고 비관적으로 변했던 그 날을.

타인의
불안 2

오랜만에 친구 Y와 C를 만났다. 미리 인터뷰를 부탁한 터라, 그날 대화의 주제는 오로지 불안 하나뿐이었다.

Y 나는 그런 불안은 있어. 대출을 받았는데 갚을 수 있을까? 회사에서 앞으로 더 잘할 수 있을까? 이 정도 불안. 근데 예전에는 불안이나 스트레스가 내 생활에 크게 영향을 주지 않는 줄 알았어. 처음 회사에 입사하고 2주 일했는데, 아무것도 모르는 상태로 일하는 게 심적으로 엄청나게 부담됐나 봐. 그동안 했던 알바와는 차원이 다르니까. 월요일 새벽에 출근 준비하면서 물을 먹다가 그대로 쿵 쓰러졌어. 어머니가 119를 부르고 응급실에 입원하고 난리도 아니었지. 스트레스성 쇼크라더라. 회사에 출근해야 하는 부담감 때문이었던 것 같아. 일주

일을 또 어떻게 보내야 하지? 이런 걱정 때문에. 내색은 안 했는데 몸으로는 엄청 큰 부하를 받았던 것 같아. 남한테 표현을 하지도 않았고.

나 입대할 때랑 비슷한 긴장감인가?

ㄷ 회사마다 분위기는 다르겠지만, 남자가 많은 회사는 아무래도 그렇지. 군대는 들어갈 때부터 갑갑하긴 했는데, 내가 회사 처음 들어갔을 땐 그 정도는 아니었어.

Y 나한테도 군대와는 차원이 다른 압박감이었어. 회사에서 제대로 가르쳐 주지도 않고 계속 뭘 하라고는 하는데 어떻게 해야 할 줄도 모르겠고. 내가 이걸 앞으로 30년을 더 해야 한다고 생각하니까 감이 안 서는 거야. 그런 압박감이었어.

ㄷ 아무래도 군대는 통제를 받잖아. 내가 여태까지 해왔던 걸 못 하는 거고. 근데 회사는 통제라기보다는 돈을 벌기 위한 수단이고 내가 원해서 한 선택이니까 그 정도의 압박감은 없었던 것 같아. 오히려 성과에 대한 불안이나 인정에 대한 불안은 있더라. 현대 사회에서 죽음에 대한 불안을 제외하면 내가 생각했을 때 가장 큰 불안은 인정받고 싶은 욕구에서 나오는 불안인 것 같아.

Y 인정받는 게 사람들한테 큰 만족감을 주니까.

ㄷ 맞아. 인정받는 건 진짜 본질적인 문제 같아. 어쨌든 사람은 혼자 살 수 없으니까, 내가 이 사회에 정말 필요한 사람인가에 대한 문제지.

우리는 모두 인정 투쟁을 하며 살아간다. 가족 내에서도, 직장 내에서도, 연인 사이에서도, 친구들 사이에서조차. 물론 인정 투쟁은 자연스러운 과정이지만, 인정을 받으려는 욕구가 스트레스로 작용하면 탈이 생기기 시작한다. 내가 할 수 있는 것보다 더 크고 많은 일을 해야만 하는 부담감이 자신을 짓누른다. 내가 이 사회에서 필요한 존재라는 것도 온몸으로 증명해내야 인정받을 수 있다. 가족 구성원으로서는 물론이고, 모든 조직과 사회에서도 말이다. 직장 생활을 하는 Y와 C는 나보다 더 세밀한 인정 투쟁을 하는 것처럼 보였다. 인사고과라는 이름 아래, 자신의 업무 성과가 객관적으로 평가되는 일을 매일 같이 겪고 있었고, 언제까지 인정받을 수 있을지 고민하고 있었다.

다음 대화는 어린 시절 이야기로 이어졌는데, 공교롭게도 세 명 모두 집이 어려워진 경험이 있었다.

나 나는 초등학교 5학년 때 집안이 어려워지면서 성격이 변했어. 성격이 굽었다고 해야 하나. 그전에도 그렇게 잘 사는 건 아니었지만 먹고 사는 게 힘들다고 느낀 적은 없었는데, 갑자기 집이 어려워지니까 성격이 소심해졌어. 모든 게 조심스러워지더라.

C 나는 그때 원영이를 교회에서 알았는데, 멀리서 보면 맨날

인상 쓰고 있던 게 기억난다.

Y 우리 집도 어릴 땐 잘 살다가, IMF 터지면서 완전히 망했지. 아버지가 디스크 때문에 쓰러지신 뒤로 3년을 누워 계셨고 집에 빚만 생겼어. 당장 쌀이 없어서 어머니가 쌀집에서 쌀을 빌려 오시고, 그 다음 달에 갚기도 했다. 그때 생긴 빚은 아직도 갚고 있어.

C IMF 때 그러지 않았던 집이 별로 없지. 아버지들 대부분이 그 시기에 퇴직하셨으니까. 정도에 차이는 있지만, 그 시기에 불안했던 경험은 다들 있을 거 같아. 우리 집도 그랬거든. 우리 아버지도 IMF 때 퇴직하시고, 퇴직금으로 사업하시다가 망하셔서 어머니가 일하시게 되고. 내가 음악을 안 했던 결정적인 이유도 집안 사정 때문이었다. 누나가 음악을 했는데 나까지 음악 한다고 하면 안 될 것 같은 거야. 레슨비가 워낙 비싸니까. 나는 그냥 제풀에 포기해버렸지.

97년 11월 21일, 한국 사회 전체가 공황에 빠졌다. 한국 정부가 IMF에 구제 금융을 신청하는 것을 신호탄으로, 영원할 것만 같던 대기업이 연이어 도산하고 중소기업은 물론이고 자영업자들도 생산 활동을 이어가기 어려워졌다. 결국, 수많은 직장인은 명예퇴직을 당하고, 자영업자들은 파산했다. 국가 차원의 막대한 부채로 인한 사회 혼란은 개인이 극복할 수 있는 수준이 아니었다.

영화 〈국가 부도의 날〉을 보던 날, 절망 앞에 선 가장들이 목숨을 끊을 수밖에 없던 참담한 장면에서 들었던 영화관 여기저기서의 탄식은 아직도 생생하다. 그 탄식으로 미루어 보건대, IMF는 그 시대의 가장은 물론이고 나머지 가족 구성원에게도 절망적인 경험이었을 것이다. 그런 시기에 성장기를 보낸 내 또래들은 직접적으로나 간접적으로 집안의 분위기를 읽었을 것이다. 집안이 어려워져서 하고 싶은 것을 하지 못하고 어쩔 수 없이 진로를 바꿔야 했고, 가족의 운명이 어떻게 될지 모르는 불안감에 시달려야 했을 것이다.

그렇게 성장한 아이들이 이제는 그때 부모님의 나이가 되었다. 유년 시절 겪었던 불안과는 다른, 그 당시 부모님들이 겪었을지도 모르는 불안을 마주하는 세대가 된 것이다. 직장에서 인정받기 위해 고강도 업무에 시달리고, 꾸린 가정을 지키기 위해 고군분투하는 Y와 C에게서 그날 유독 어른스러움을 느낀 것은 단지 기분 탓만은 아니었을 것이다.

―――――

가보

　스마트폰을 산 첫날이면, 나는 답도 없는 겁쟁이가 되어버린다. 행여 상처라도 날까 전전긍긍하는 모습은 도구를 산 것인지 귀중품을 산 것인지 헷갈리기도 한다. 스마트폰이 상할 것 같은 당장의 불안은 보호 필름과 케이스가 덜어주기도 하는데, 더욱 확실한 방법은 이 물건이 가보가 아닌 한 언젠가는 더러워지고 깨질 수 있는 도구에 불과하다는 사실을 인식하는 것이다. 스마트폰을 바닥에 떨어뜨리는 가슴 철렁한 경험을 몇 번 겪고 난 이후 '생활 기스' 몇 개가 생기면, 그 사실을 서서히 인정하게 된다. 대상의 가치를 필요 이상으로 높게 잡은 것이 근원적인 이유이므로 그 허울이 무너지는 과정이 있고 나서야 대상을 제대로 볼 수 있다. 일종의 체념이 필요한 것이다.

하지만 알고 있는 것이 전부는 아니다. 아마 스마트폰을 다시 사면, 나는 다시 한번 한껏 쪼그라들 것이다. 스마트폰을 바꾸는 게 아니라 가보를 바꾸기라고 한 듯.

굳이
그 선택을 하는 이유

여유로운 주말, 둘레길을 걷다 전망대 꼭대기에 올랐다. 탁 트인 전망 너머로 먹구름이 짙게 깔려 있었다. 전망대에는 가족으로 보이는 네댓 명이 이미 올라와 있었다. 비라도 한바탕 쏟아낼 듯한 먹구름을 보고 한 손자가 할머니에게 물었다.

"할머니, 이러다 비 오는 거 아니에요? 내려가야 할 것 같은데."
"괜찮아. 이런 비는 조금 맞아도 돼. 시원하고 좋지 뭐."
"안 되는데. 비 맞으면 대머리 된다고 했는데."

할머니는 그 말을 어디서 들었느냐며 웃음을 터뜨렸고, 이내 손자들을 데리고 전망대를 내려갔다. 내가 어릴 때 들었던 그 얘기를 여섯 살이나 될 법한 아이에게 들으니, 구전된 미신을 눈앞에서 보는구나 싶어 기분이 묘했다.

*

미신을 그다지 믿진 않지만, 그래도 괜히 찝찝한 마음에 따르는 미신들이 있다. 우선, 사람 이름은 무슨 일이 있어도 빨간색으로 쓰지 않는다. 또 다리를 떨면 복이 나간다는 얘기에 다리를 떨고 싶어도 꾹 참기도 하며, 연인에게 구두를 선물하면 달아난다는 말에 구두 선물은 하지 않는다. '덕수궁 돌담길을 연인과 함께 걸으면 헤어진다.'라는 미신 역시, 아무래도 찝찝해 될 수 있으면 연인과 덕수궁 돌담길을 걷지 않는다. 지금까지 나열했던 미신들을 종합해 보면, 한 단어로 축약할 수 있다.

'굳이.'

사람의 인식이란 참 신기하다. 모르고 살았을 땐 아무 문제 없이 지내다가, 안 좋은 일이 희박하게라도 일어날 수 있다는 인식이 자리 잡으면 그때부터 찝찝한 느낌을 지울 수 없다. 즉, 과학적 근거는 없지만 '사람 일은 모르는 거다.', '만에 하나'라는 식의 희박한 확률을 의식하며 비논리적인 선택을 감행하는 것이다. 앞서 얘기한 미신들이 다 그렇다. 비논리적임을 알면서도 정말 사람 일은 모른다는 생각과, 만에 하나의 경우를 의식해 '굳이' 미신을 믿는 것이다. 사실 이런 미신 이면에는 일어나지 않길 바라는 일에 대한 두려움이 깔려있다. 두렵지 않다면 구태여 이 미신을 맹신할 이유도 없다.

남산에 올라가면 철조망에 수많은 자물쇠가 잠겨 있다. 연인들이 영원한 사랑을 염원하며 철조망을 빼곡히 채운 자물쇠들. 자물쇠를 채운 이들의 사랑이 모두 영원할 순 없겠지만, 자물쇠를 채우던 그 순간만큼은 둘의 사랑이 영원할 거라 굳게 믿었으리라. 나 역시 같은 마음으로 전에 사귀던 여자친구와 자물쇠를 채운 적이 있었다. 그러나 우리는 이별을 피할 수 없었다. 그녀에게 구두를 선물한 적도 없고, 덕수궁 돌담길을 함께 걷지도 않았는데 말이다.

비록 비논리적인 선택일지라도, 믿음으로써 당장의 불안한 마음을 지울 수 있다면 그것만으로도 미신은 의미가 있을 것이다. 살면서 일어나는 모든 확률을 알 수 없기에, 미신에 발을 걸치고 살아갈 수밖에 없지 않을까. 이름을 쓸 때 빨간 펜 대신 다른 색 볼펜을 굳이 찾는다거나, 연인과 함께 자물쇠를 잠그는 것처럼. 실은 그럴 필요가 없음에도 굳이 그렇게 말이다.

살기 위해
걱정합니다만

걱정은 흔히 쓸데없는 것으로 치부되기 마련이다. 걱정하는 것들의 90%는 일어나지 않을 일이라면서 말이다. 하지만 나처럼 걱정이 많은 사람은 90%의 수치에 안도하는 것이 아니라, 혹시라도 일어날지 모르는 10%를 경계하며 산다. 그리고 그 90%라는 수치를 어떻게 속단할 수 있는지, 불분명한 명제에 불과한 그 문장을 의심하고 또 의심한다. 나에게 90%란 누구도 보장해줄 수 없는 수치의 함정일 뿐이다.

당장 내일 아침, 알람 소리를 듣지 못해 지각할 수도 있다. 그렇다면 알람을 오 분 단위로, 적어도 다섯 개쯤은 맞춰놔야 안심할 수 있다. 정말 피곤한 날엔 열 개의 알람도 적은 듯하다. 알람을 맞추면서도 스스로 딱한 마음이 들지만, 어쩔 수 없다.

못 일어나는 것보다 알람을 여러 개 맞추면서 당장의 걱정을 없애는 편이 더 편한 잠을 이룰 수 있다.

  걱정이 많은 사람은 정말 피곤하다. 만성 피로가 기본값인 현대인인데, 정신적인 피로에 가까운 걱정까지 해야 하는 사람은 맘 편히 쉴 시간이 없어 보인다. 하지만 이들에게 걱정은 일종의 생존 방식이다. 걱정을 원동력으로 최소한의 대책을 생각해야 한다. 물론 그 대책이 당장은 빛을 발하지 못하고 사라진다 해도, 대신 마음에 평안을 얻을 수 있다. 하나로는 모자라 다섯 개, 열 개의 알람을 맞춰야 하는 것처럼, 방심하는 것보다는 걱정하는 편이 낫다고 생각하면서 말이다.

*

  알 수 없는 내일엔 태생적인 불안이 깔려있다. 내일 우리 동네에 어떤 괴상한 사건이 발생할지, 비보가 들릴지, 자신에게 어떤 일이 일어날지, 우리는 아무것도 알 수 없다. 조상들이 '밤새 안녕하셨습니까?'라는 문안 인사를 건네던 것도 겨우 하룻밤 사이에 무슨 일이 벌어졌을지 모르는 불확실성 때문이었으리라.
  당장 내일 무슨 일이 벌어질지 모르는 이 불안을 현대 사회에서는 보험이란 발명품으로 일정 부분 해소하고 있다. 보험은 인간의 불안과 걱정을 매개로 한 상품이다. 재산과 건강을 잃어버릴 것 같은 불안에 시달리는 것보단, 약간의 비용을 지불하고서라도 안심을 얻는 행위를 가치 있게 평가한다, 이것이 보험의 메커니즘이다. 보험사는 '내일 당장 무슨 끔찍한 일이 일어날 줄 알고 아무 대책이 없단 말인가'라는 논조로 고객을 설득한다. 지금 가지고 있는 돈으로 미래의 걱정을 덜어내라고 말이다. 이런 관점에서 보면 보험 회사는 인간의 불안으로 만들어진 거대한 집합체 같기도 하다.

보험을 걱정의 부산물 정도로 생각할 때도 있었다. 하지만 부모님 두 분 모두 암에 걸리셨던 상황을 겪고 나서, 보험에 대한 관점이 사뭇 달라졌다. 그때 만약 두 분 모두 가입한 보험이 없었더라면, 우리 가족에게 어떤 상황이 펼쳐졌을까 생각해 봤다. 그보다 최악일 순 없었다. 무턱대고 보험을 찬양하는 것은 아니지만, 적어도 보험 덕분에 최악은 피할 수 있었던 건 사실이었다.

현실에서 마주치는 걱정들은 시간이 갈수록 그 크기가 점점 커진다. 특히 건강에 대한 걱정은 '건강 염려증'으로 발전하지 않을까 싶은 정도다. 물론 부모님의 일도 상당한 영향이 있었다. 하지만 그에 못지않게, 삼십 대에 접어들면서 몸에 탈이 나는 횟수가 점차 늘어난 탓도 있었다. 병원에 가는 횟수가 그만큼 늘어나기도 했다. 보험의 실용성을 생각하지 않을 수 없었고, 무리하지 않는 선에서 보험을 하나씩 늘려가고 있다.

심리 상담 중에 심리 검사를 받은 회차가 있었다. 몇 주 뒤에 나온 결과에 따르면 내가 외부세계를 불신하며 두려워하고, 믿을 것은 오직 나뿐이라는 생각에 더 절박한 삶을 사는 경향이 있다고 했다. 충분히 납득할 만한 결과였다. 그렇다. 믿을 것 하나 없는 세상이다. 그런 세상에서 걱정은 나에게 친구 같은 존재다. 나의 불안을 명확하게 이해하는 건 오직 걱정뿐이라는 생각이 든다. 걱정 때문에 조금 피곤할지라도, 걱정 때문에 보험을 하나 늘릴지라도. 걱정이 없다면 이 외로운 세상에서 무슨 험한 일을 겪을지 모른다. 검사 결과대로, 나는 10%의 일어날 일들을 걱정하며 조금은 서글프게, 조금은 절박하게 생존하고 있다.

―――

이제는 내가
부모님을 걱정한다

군 복무 중, 행정실에서 급하게 나를 찾는다는 얘기를 전해 들었다. 나에게 걸려 온 전화가 있다는 호출이었다. 평일 낮, 외부에서 걸려온 전화는 왠지 꺼림칙했다. 불안한 마음에 전화를 받아보니 어머니셨다.

"원영아, 너 괜찮니? 아무 일 없지?"

어머니는 대뜸 내가 무사한지 물으셨다. 정말 아무 일도 없어서 그렇다고 대답하자, 어머니는 크게 안도하시며 조금 전 아버지가 받으셨던 한 통의 전화에 대해 말씀해 주셨다.

아버지는 전화 한 통을 받으셨다. 휴가 나오던 나를 납치했다는 전화였다. 아들을 살리고 싶으면 돈을 입금하라는 협박범의 말에 아버지는 사기가 아닐까 의심했지만, 전화기 너머로 '살려줘요!! 아빠!!!'라는 외침이 들리는 순간 혼란에 빠지셨다. 꼭 내 목소리처럼 들리셨다고. 당황하신 아버지는 일단 알았다며 전화를 끊고 어머니에게 전화를 거셨다. 다행히 어머니는 더 침착하셨고, 내가 휴가 나올 시기가 아닌 게 영 걸리셨던 마음에 일단 부대에 확인부터 해야겠다고 생각하셨다. 그리곤 그 전화를 내가 받은 상황이었다. 결국 해프닝으로 끝났지만, 내가 아닌 부모님이 범죄의 표적이 될 수도 있음을 확인했던 그 날을 도저히 잊을 수 없었다.

최근 지인과 보이스 피싱에 관한 이야기를 나눴다. 군 복무 시절 보이스 피싱을 당할 뻔한 부모님 일화를 얘기하자, 지인은 부모님이 보이스 피싱으로 천만 원을 잃으셨다는 충격적인 얘기를 꺼냈다. 그 과정은 어처구니없을 정도로 전형적이었지만, 결국 사기를 당하셨단다. 피땀으로 모으신 천만 원을 잃고 며칠간 충격에서 헤어나오지 못하셨다는 이야기를 덧붙였다. 지인의 이야기를 듣고 다시 한번 아찔했다. 이런 위험이 늘 우리 주변에, 특히 부모님 주변에 도사리고 있다는 생각에.

오늘 아침, 잠결에 걸려 온 전화를 받았다. 자신은 서울 지검의 누구라는 말에 잠결이었음에도 대번 보이스 피싱임을 알아챘다. 단호해 보이려는 건지, 사투리인지, 말투가 굉장히 어색했다. 바로 전화를 끊고 싶었지만, 범죄 사건에 내가 연루되었다는 뻔한 개요를 잠자코 들었다. 바로 끊거나 농락해서 사기꾼의 심기를 자극하지 말자는 생각에서였다. 전날 우연히 본 방송에서 그들이 내 개인정보를 이용해 어떤 종류의 보복도 할 수 있다는 사실을 알게 된 탓이었다. 제대로 알아보고 다시 전화하겠다며 정중하게 얘기하니, 사기꾼은 소환장을 보내겠다는 으름장을 놓으며 전화를 확 끊어버렸다. 그런 일이 없으리란 걸 알았지만, 영 찜찜했다. 바로 어머니에게 전화 드려 이런 종류의 전화는 항상 조심하시라 주의를 드렸다. 그래도 찜찜한 마음이 가시지 않았다. 사기꾼이 멀지 않은 곳에 있음을 다시 한번 확인한 탓이었으리라.

가끔 지인들이 새롭게 등장한 사기 수법을 주의하라며 알려주곤 한다. 그럴 때면 오늘처럼 잊지 않고 부모님께 알려 드린다. 과거에 홍역을 한 번 치른 데다, 아무리 당부드려도 부모님을 걱정하는 마음은 쉽게 사라지지 않는다. 부모님은 어린 나를 걱정하며 키우셨을 텐데, 이제는 내가 부모님을 걱정한다.

타인의
불안 3

　학창 시절에 그런 친구들이 꼭 한두 명씩 있었다. 분명 평소에는 나와 같이 놀았는데 시험 성적은 본인만 잘 나오는 얄미운 놈들. 오랜 친구 J는 딱 그 얄미운 놈이었다. J는 매사에 논리적인 데다 까칠한 구석까지 있어서 말싸움이라도 한 번 붙으면 내 정신이 탈탈 털릴 때까지 대꾸 한 번 하기 어려웠다. 그 날카로운 논리에 혼쭐이 나면, 며칠 동안은 J에게 말도 걸기 싫을 정도였다.

　J에게 인터뷰를 부탁하면서 긴장되는 마음 역시 어쩔 수 없었다. 하기 싫은 건 죽었다 깨어나도 하지 않는 J인 걸 알기에, 단칼에 거절한다고 해도 전혀 이상한 일이 아니었다. 하지만 J는 싱거울 정도로 인터뷰에 바로 응해 주었다. 불안에 관한 대화가 그 정도로 싫지는 않은 모양이었다.

사실 J는 물음표 같은 친구다. 20년을 넘게 친구로 지냈어도 자기 속을 잘 내비치지 않았던 터라, 그 내밀한 속은 알 수 없었다. 그래서 인터뷰에 응하길 은근히 바라고 있었는지도 모르겠다. 철저한 논리로 무장한 J가 어떤 불안을 느끼며 사는지, 아니 불안이 있기는 한 건지, 궁금했다.

J 나라고 불안이 없었겠냐.

　J가 시큰둥하게 운을 뗐다.

J 중, 고등학교 때는 시험을 준비하면서 특히 불안했지. 무조건 평균은 넘어야 한다는 강박감이 있었거든. 평균보다 떨어진다? 그건 진짜 상상하기도 싫었다.

　말을 잠시 끊은 J가 커피를 소주처럼 들이키는 동안, 내 뒤통수가 얼얼했다. 그 정도의 압박감을 가지고 시험을 치른 줄은 짐작도 하지 못한 탓이었다.

나 진짜 그랬다고? 그 정도일 줄은 몰랐는데.
J 티를 안 냈으니까. 놀고는 싶고, 공부는 해야겠고, 나도 그 사이에서 엄청 힘들었지. 다른 전교 상위권 애들처럼 특별한 목표는 없었는데, 부모님을 실망시켜 드리지 말자는 생각 하

나로 아득바득 공부했어. 평균보다 떨어지는 성적을 받으면 왠지 불효자가 될 것 같았거든. 근데 그렇게 공부해도 상위권에 있는 애들은 따라잡기가 힘들더라. 하, 걔네는 진짜 괴물 같은 놈들이야.

J는 항상 전교 50등 안에 들었다. 동급생이 600명이었던 점을 생각하면 제법 상위권이었다. 중위권에서 힘겹게 버티고 있던 나에게는 그 50등도 한없이 높아 보였지만, J는 본인의 학창 시절 성적은 애매했다고 자평했다.

J 나는 내가 공부를 열심히 한다고 생각한 적이 없었어. 그냥 버틴 거야. 하루하루를 간신히 버텼다는 표현이 딱 어울리겠다. 여기서 뒤로 떨어지면 죽는다고 생각했거든.

J의 얼굴은 그 어느 때보다 진지했다. J는 자신의 학창 시절에 그나마 50등이라도 할 수 있었던 비결을 '평균의 절벽' 덕분이라고 설명했다.

J 중, 고등학교 6년을 이 평균에만 집착했어. 외줄 타기 하는 심정이었지. 이 시험 성적으로 내가 어떤 사람인지 평가받는다고 생각하니까, 쉬운 시험이 하나도 없더라. 시험 볼 때마다 발 뒤에 절벽이 있다고 생각하면서 공부했지. 근데 무조건

평균 위에 있어야 한다는 그 강박 때문에 1점이라도 더 올랐던 거 같다.

J는 말을 제법 길게 한 탓에 목이 말라서인지 다시 커피를 홀짝였다. 독한 놈. 우리랑 그렇게 놀고 집에 가서는 배수진을 쳐놓고 공부했구나 싶은 생각에, 독한 놈이라는 표현이 떠오르지 않을 수 없었다. 목마름이 해결됐다는 듯 커피잔을 내려놓으며 J는 다시 말을 이어갔다.

J 고등학교 때까지는 죽어라 버티기만 했으니까 대학에 가서는 뭔가 달라질 줄 알았거든. 근데 인생이란 게 참 뭐 같더라.
나 왜? 너 대학 생활도 나쁘지 않았잖아.
J 성적은 나쁘지 않았지. 같은 과에 친구가 한 명 있었는데, 꽤 열심히 사는 애였어. 검정고시 치르고 대학에 들어왔는데, 목표가 보통 큰 게 아니라 일본어도 배우고 진짜 고생고생해서 일본 유학을 떠났어. 그렇게 한동안 연락이 뜸했는데, 어느 날 그 친구가 죽었다는 연락을 받았어. 일본에서 사고로 죽었다고. 그 연락을 받고 이게 무슨 일인가 싶었어. 진짜 현실인가 싶기도 하고. 가슴이 울렁거려서 헛구역질이 계속 나는 거야. 내 기준에 그렇게 열심히 사는 사람이 없었는데, 그렇게 가버렸다고 생각하니까 그냥 모든 게 허무한 거야.

J의 목소리에 점점 힘이 빠져가는 것을 느꼈다.

J 이게 감정들이 막 섞여서 뒤죽박죽되는 거야. 슬퍼 죽겠는데 속에서 열불이 나더라. 진정도 안 되고. 그렇다고 누구한테 화를 낼 수도 없고. 그렇게 열심히 살던 사람도 허무하게 떠나는 게 인생이면 내가 지금까지 했던 노력은 무슨 의미가 있나 싶은 거야.

문장 끝마다 한숨을 내쉬는 J에게 무슨 말을 해야 할지 몰랐다.

J 그 소식 듣고 내가 무슨 생각한 줄 알아?
나 무슨 생각을?
J 딱, 남들만큼만 살자.
나 허…
J 진짜 웃긴 거지. 고등학교 때 그렇게 평균에 목맸는데, 좀 다를 줄 알았던 대학교에 가니까 그 생각이 굳어져 버린 거야. 내가 열심히 했던 노력이 물거품 될까 봐, 그게 두렵더라. 열심히 사는 것과 고생하지 않고 무탈하게 사는 것의 결과가 같을 수도 있다고 생각하니까 그냥 답답해지는 거야. 죽음 앞에서는 모두 공평해지니까. 그래서 남들만큼만 살면 되겠다고 생각하는 게 맘 편해지더라. 그런 삶이 뭐 나쁘게 말하면 '적당

히'인 거고, 좋게 말하면 '평범하게' 사는 거고.

  J는 대학을 졸업하기도 전에 대기업에 취직했는데, 그때는 그게 자신의 최종 목표라고 했다. 평균의 노예였던 중, 고등학교 시절을 지나 친구의 허무한 죽음을 겪으면서, 그 이상의 목표는 의미가 없었다는 것이다.

  J는 대화 말미에 지금은 열심히 살지 않기 위해 최선을 다하는 중이라고 했다. 그 농담에 헛웃음이 나왔는데, J도 자신의 농담이 어이가 없다는 듯 끌끌 대며 헛웃음을 지었다. 그렇게 속을 알 수 없던 J도 보통의 사람이었다는 의외의 동질감 너머로, 역시 우리는 불확실한 세계에 놓인 불안한 존재임을 다시 한번 확인했다. 지독하게 씁쓸했다.

어느 날
갑자기

프란츠 카프카의 『변신』은 주인공에게 극적인 변화가 일어나는 어느 날 아침, 갑자기 시작된다. 어떤 과학적인 설명이나 이유도 없이 주인공 그레고르는 끔찍한 모습의 벌레로 변해 있는 자신을 발견한다. 바로 그 전날까지 가장으로서 가족을 부양하던 그레고르는, 하루아침에 가족들에게 혐오의 대상이 되어 버린다.

열다섯 살의 나도 그레고르처럼 하루아침에 처지가 달라져 있었다. 평온했던 일상이 갑작스러운 파국을 맞이하게 되는 과정에는 어떤 명확한 설명이나 이유가 필요하지 않았다.

1999년, 중학교 2학년의 어느 날, 난 학교 폭력의 피해자가 되어 있었다. 나를 비롯한 너덧 명은 같은 반 일진 세 명에게

낙점된 후로, 인간의 존엄이나 학우 간의 예절 따위는 안중에도 없는 일들을 난생처음 겪기 시작했다. 가해자들은 그저 감히 반항하지 못할 적당한 먹잇감을 고른 것인데, 그들의 안목은 탁월했다. 나를 포함한 피해 학생들은 그들의 폭력 앞에 철저히 무력했으므로.

　가해자들은 열다섯 살이라고 믿기 어려울 정도로 피해 학생들을 악랄하게 괴롭혔다. 특히 다음 날까지 오천 원 혹은 만원을 모아오라는 강요를 자주 했는데, 정한 금액을 채워오지 못하면 때린다고 협박하기 일쑤였다. 그 말을 듣는 순간부터 돈을 꾸역꾸역 모으기까지 그 모든 과정이 고통이었다. 맞지 않기 위해 친구에게 돈을 빌리거나, 가뜩이나 경제 사정이 어려웠던 어머니의 지갑에 손을 대기도 했다.
　그뿐만이 아니었다. 교과서와 체육복을 빌려오라는 명령을 내리거나 심심풀이로 피해자들의 가슴팍을 주먹으로 치는 등의 수치스러운 행동이 같은 반 학생들이 보는 앞에서 공공연하게 일어났다. 나를 벌레, 혹은 장난감 정도로 취급하는 듯했다. 그들의 요구를 제대로 이행하지 못하면 화장실로 끌고 가 '물갈이'란 명목으로 뺨을 때리고 주먹질을 해댔지만, 사춘기에 접어든 열다섯 살 소년에겐 차라리 화장실에서 맞는 편이 더 나았다. 적어도 같은 반 학생들에게 맞는 모습을 보이진 않았으니 말이다.

어느 날 갑자기 시작된 학교 폭력은 학교로 가는 매일을 생지옥으로 만들었다. 학교는 열다섯 살의 몸으론 그 어디로도 도망칠 수 없는 덫이 되어 있었고, 이 생지옥보다 더 끔찍한 곳은 없었다. 학교 폭력은 같은 반 학생들 사이에서 묵인되고 있었으며, 지금처럼 학교 폭력을 구제해 줄 수 있는 학교 폭력 위원회 같은 최소한의 제도나 법적 장치 또한 미비했다. 교실은 차츰 내 인격을 말살하는 공개 처형장이 되어갔고, 무력한 나는 그 공간을 벗어날 방법을 전혀 알지 못했다.

가난과 학교 폭력은 처참하게 뒤섞여, 열다섯 살의 나를 피폐하게 만들었다. 등교하는 순간부터, 아니 아침에 눈 뜨는 순간부터 극심한 불안이 시작되었다. 가해자들이 등 뒤에 도사리고 있는 수업 시간에 집중할 수 없었던 것은 당연한 일이었다. 성적은 자연스럽게 떨어졌고, 공부뿐만이 아닌 모든 것에 의욕을 잃은 채 매일을 겨우 버텨야 했다.

강요와 폭력, 수치심과 무력감이 순서만 달리한 채 매 순간 엄습해왔다. 선생님이나 어른들에게 어떤 구체적인 도움을 받을 수 있는지 확신할 수 없었던 터라, 폭력을 일상으로 받아들이고 있었다.

생지옥이 일상이던 어느 날, 수업 도중 담임 선생님의 호출을 받고 교무실로 불려갔다.

"선생님은 다 알고 있으니까, 사실대로 얘기해야 해."

가슴이 철렁했다. 내가 당하던 학교 폭력이 수면 위로 떠오른 것 같은 불길한 전조였다. 내가 잘못한 게 없음에도, 가해자들의 해코지가 불안해 나는 아무 말도 할 수 없었다. 차라리 모른 척 넘어가는 것이 내 안위를 지킬 수 있으리란 생각에서 나온 본능적인 침묵이었다. 하지만 내 바람이 무색하게도, 피해자 중 한 학생이 이미 선생님에게 모든 사실을 털어놓은 상황이었다. 되돌릴 수 없는 상태임을 직감했고, 선생님의 설득에 그간 당했던 모든 학교 폭력을 진술서에 적어 나갔다. 진술서를 읽던 선생님의 낯빛에 어둠이 드리웠다.

교실로 돌아오니, 가해자들은 피해자들이 차례로 교무실로 불려가는 것에 뭔가 틀어졌음을 눈치챈 듯 보였다. 사실대로 말했으면 죽여 버릴 거라며 연신 협박했고, 그들에게 나는 아무 말도 할 수 없었다. 잠시 후, 교무실로 불려간 가해자들은 내가 하교할 때까지 교실로 돌아오지 못했다.

학교는 가장 악질이었던 가해자 두 명에게 강제전학을, 상대적으로 덜 악질이었던 한 명에게는 정학의 처벌을 내렸다. 최악이라고 생각했던 상황은 의외로 허무하게 종결된 듯 보였다. 그러나 생지옥이 이렇게 쉽게 끝날 리 없었다. 현실은 기괴한 방식으로 전개되었다. 이전에 몰랐던 해방감을 느껴보기도 전에, 낯선 얼굴의 학생이 나를 찾아왔다.

"걔가 오늘 너 찾아올 거래. 너 죽여 버린다고. 끝나고 남으래."

끝난 줄 알았던 학교 폭력은 협박이란 가면을 쓰고 내 생활에 침투했다. 그날 학교가 끝나자마자 후문으로 빠져나와 정신없이 도망쳤다. 잡히면 정말 죽을 것 같은 마음에. 시야를 벗어난 보복 통보는 암살 예고장과 다름없었다. 차라리 예전이 낫다고 생각할 정도의 협박은 그 이후로도 계속되었다. 그 때부터였다, 하교 시간이 가까워져 오면 행여 날 기다리는 가해자들의 모습이 보일까 교문을 쳐다보는 습관이 생긴 것은. 정문에서 가까웠던 집을 후문으로 나와 빙 돌아가기 시작했던 것은, 생존을 위한 절규였다.

1999년, 나의 중학교 2학년은 세기말에 유행했던 종말론이 내게만 일어난 시기였다. 차라리 지구가 운석이나 맞고 모두 공평하게 종말을 맞이했으면 좋겠다고 생각했다. 하지만 종말론을 주장하던 이들과 그러길 바라는 나를 비웃기라도 하듯, 나의 지옥 같은 일상과 지구에는 변함이 없었다. 중학교를 졸업할 때까지 도망자 신세를 면치 못했다.

학교 폭력이 얼마나 잔인한가에 관해서 이야기하자면 끝이 없겠지만, 자신을 자책하게 만드는 구조에 가장 큰 야만성이 있다. 나 역시 학교 폭력의 원인을 가해자가 아닌 나 스스로에게서 찾고 있었다. 무슨 이유로 하루아침에 학교 폭력의 피해자가 됐는지 지금까지도 정확히 알 수 없었기에, 그저 나의 무력함을 자책하는 것이 까닭 모를 폭력에 반응하는 유일한 방식이었다. 정체성조차 제대로 찾지 못한 나이에 누구에게도 쉽게 손을 뻗지 못한 채 외롭게 버려내야 하는 것도 무척이나 가혹했다.

이따금 뉴스에서 학교 폭력으로 자살하는 피해 학생들의 소식을 접하는 날이면, 침착할 수 없는 마음속에서 응어리 섞인 눈물이 난다. 그들이 당한 폭력이 얼마나 고통스러웠을지. 내 작은 경험을 감히 꺼내어 그들을 애도한다. 출구 없는 터널에 갇힌 기분으로 지옥 같은 매일을 겨우 버틴 그들을.

학교 폭력은 당할 만해서 당한 것이라는 말은 궤변이다. 학교 폭력은 피해자 때문에 벌어지는 것이 아니다. 온전히 폭력 가해자의 잘못만이 있을 뿐이다. 그 원인을 피해자에게 전가하고 자책하게 만드는 야만적인 탐욕과 광기가 인격을 훼손시키다 못해 죽음에 이를 수 있게 한다. 혹시 피해 학생이 이 글을 본다면 진심으로 얘기해주고 싶다.

너의 잘못이 아니라고.

혼자 감당하지 말라고, 반드시 부모님이나 선생님에게 알리라고. 어느 날 갑자기 벌레 취급받는 자신을 그대로 두지 말라고.

나는 아무것도
잃어버리고 싶지 않다

　쓰지 마시라, 아무리 말리고 떼를 써도 어머니는 기어코 우산 손잡이에, 반찬 통에, 실내화 가방에 내 이름 석 자를 적곤 하셨다. 어머니는 내가 어딘가에서 물건을 흘리고 오진 않을까 그렇게 불안하셨나 보다. 어린 날엔 초등학생이 유치원생 취급받는 것 같은 기분에 이름 석 자가 적힌 물건들이 괜히 창피했다. 하지만 철없던 창피함이 무색하게도 물건에 이름을 적는 건 분명 실익이 존재했다. 정말 물건을 잘 잃어버리지 않았으니 말이다. 어머니의 글씨는 컴퓨터 바탕체를 그대로 옮겨 놓은 것처럼 정직하고 크고 선명했다. 어지러이 뒤섞인 우산들 틈에서 내 이름 석 자는 눈에 잘 띄었고, 실내화 뒤편에 적힌 이름 석 자 덕분에 실내화를 잃어버릴 일도 없었다.
　그런 어머니의 영향이었는지, 사춘기 시절 어려워진 집안 형편 때문이었는지, 소유하는 것에 익숙하지 못했던 나는 잃어버리는 것에도 익숙하지 못했다. 물건을 잃어버리는 일에 늘 예민했다. 분실은 곧 주의를 기울이지 못한 나의 잘못이었기에, 자괴감에 빠지지 않으려면 내 물건을 철저하게 지켜야 했다. 지하철, 버스, 교실, 공원의 벤치 등 잠시 머무른 자리에서 일어날 때 앉았던 자리를 확인하는 것은 이미 오래전부터 익숙한 습관이다. 가끔은 소유에 너무 민감한 것 같아 쓸쓸하기도 하지만, 물건을 잃어버리는 상황보단 민감한 것이 낫다는 생각에 앉았던 자리를 다시 한번 쳐다보고 만다.

값이 꽤 나가는 DSLR 카메라를 가지고 인도 여행을 떠난 적이 있었다. 부모님을 설득해 적금까지 깨서 샀던 고가의 카메라는 나의 분신과 다름없었다. 성능 좋은 카메라 덕분에 썩 괜찮은 사진을 찍을 수 있었지만, 그 대가로 불안을 껴안았다. 인도를 여행하면서 기차를 자주 탔는데 워낙 불안정한 이동수단이라, 기차에 타기 전 강력한 체인을 두 개나 사서 카메라 가방에 칭칭 감고 자물쇠를 채웠다. 선잠을 자는 순간에도 카메라 가방을 몸에 소중히 품었고, 심지어 화장실에 갈 때도 카메라 가방을 메고 갔다. 사건 사고가 자주 일어나는 인도의 기차에서는 그것이 최선이었다.

인도 여행 중 우연히 만난 한국인 아저씨가 자신의 일화를 들려주었다. 천만 원이 넘는 카메라와 렌즈를 사서 부푼 마음으로 인도 공항에 도착했는데 그만 배탈이 났다고 했다. 급하게 볼일을 보러 들어간 화장실은 생각보다 좁아 큰 배낭과 카메라 가방을 다 가지고 들어갈 수 없었고, 어쩔 수 없이 카메라 가방끈을 안쪽에서 꼭 쥔 채로 볼일을 봐야 했다고. 그리고 얼마 지나지 않아 누군가 카메라 가방을 확 낚아채 갔다는 것이다. 화들짝 놀란 아저씨는 허겁지겁 도둑을 뒤따라갔지만, 이미 도망치고 난 뒤였다고 했다. 결국, 천만 원이 넘는 카메라와 렌즈 없이 여행해야만 했다는 슬픈 일화를, 그 아저씨는 내 카메라를 보며 아련한 표정으로 들려주었다.

DSLR 카메라는 당시 내가 가진 그 어떤 물건보다 비쌌기 때문에 아저씨의 그 얘기가 남 일 같지 않았다. 카메라를 잃어버린다고 상상만 해도 괴롭고 아찔했다. 카메라를 내 몸과 같이 아끼고 보호하자는 다짐은 절대 허튼 것이 아니었다. 기차에 오르기 전 샀던 두 개의 강력한 체인은 이런 의지의 정수였다.

소유는 곧 불안을 의미한다. 가치가 큰 것을 가질수록 잃어버렸을 때의 상실감이 크게 작용하므로 불안감도 커질 수밖에 없다. 그 불안감이 카메라 가방에 체인을 묶은 이유였다. 카메라를 잃어버리는 상상마저 끔찍했던 것도 그 때문이었고. 물론 나의 소유욕이 DSLR 카메라처럼 값비싼 물건에만 해당하는 건 아니다. 고물값으로 겨우 이천 원이나 받을까 싶은 자전거에조차도 매번 자물쇠를 채웠으니 말이다. 나는 그 어느 것도 잃어버리고 싶지 않다.

*

　아주 어릴 적 어머니와 꽤 많은 짐을 들고 지하철을 탔던 날을 기억한다. 평소 꼼꼼하셨던 어머니지만 사람들로 붐비는 지하철에서 나를 데리고 급하게 내리시느라 선반 위에 올려놓은 짐들을 깜빡하셨다. 끝내 짐은 찾지 못했고, 안타까워하시는 어머니의 얼굴이 아직도 눈에 선하다.

　얼마 전, 짐을 잃어버린 오래 전 그 날에 관해 어머니께 물었다. 어머니는 꽤 오래된 일임에도 그날을 정확하게 기억하고 계셨다. 너무 피곤해서 선잠을 주무시다가 내려야 하는 정거장에서 화들짝 깨신 나머지 일단 나만 데리고 내리셨다는 것이다. 잃어버린 짐 안에 집 열쇠도 들어있던 터라 집에 들어가지 못한 시간이 꽤 길어져서 적잖이 속상하셨다고 했다. 꼼꼼한 어머니로서는 겪기 드문 일이셨을 테니, 그날이 과연 기억에 남으실 만했다.

　나는 올해, 지하철에서 짐을 잃어버려 마음이 상했던 그날의 어머니보다 나이가 많아졌다. 겨우 이 나이가 되어서야, 이렇게 과거의 흔적을 더듬으며 글을 쓰고 나서야, 내 물건에 이름을 쓰시던 어머니 마음을 조금이나마 이해할 수 있는 나이가 됐다. 아무것도 잃어버리고 싶지 않은 그 마음을.

Alive
– 피할 수만 있다면 피하고 싶은

갑작스러운 기류변화에 쿵쾅대는 기체는 공포 그 자체였다. 기분 나쁜 무중력은 커다랗지만 당장 쓸모없는 몸을 장난감처럼 마구 휘둘렀다. 아주 짧고 여러 번. 요란해진 심장 박동은 멈출 생각이 없어 보였다. 띵, 띵, 울리는 경보음은 마치 공포 영화의 배경 음악 같았고, 어두운 실내는 절망적인 내 마음을 대변하는 듯했다. 내가 할 수 있는 일은 고작 좌석벨트를 조이고 눈을 감는 것뿐이었다.

2018년 가을, 인도 뉴델리로 향하던 비행기 안에서 이전에 겪지 못한 난기류를 만났다. 정신을 차리지 못하게 만드는 강한 흔들림은 심한 멀미를 유발했다. '이게 내 인생의 마지막이겠구나' 싶은 생각이 들 정도로.

비현실적으로 높은 곳에서는 이상하리만큼 공포가 피부로 와 닿지 않는다. 유럽에서 가장 높은 봉우리인 융프라우에서 바라본 낭떠러지는 꽤나 비현실적이었다. 족히 수백 미터는 되는 듯한 깎아지른 절벽 이외엔 아무것도 보이지 않은 까닭 이었다. 비행기에서 바라본 창밖 풍경도 꽤나 비현실처럼 느껴진다. 온통 하얀 구름이나 미니어처 같아 보이는 작은 도시들은 내가 지구 밖에 있는 듯한 착각을 불러일으킨다. 하지만 그 가을에 만난 난기류는 그런 비현실에 있는 나를 순식간에 현실로 끌어당겼다. 요동치는 기체에서 나는 비현실을 관망하는 존재가 아닌, 그저 현실적이고 무력한 존재로 돌변했다. 좌석벨트를 조이고, 무사를 기원하는 것이 전부인 채로 말이다.

*

열 살 무렵이었을까, 제목이 무슨 뜻인지도 모르고 본 영화 〈Alive〉는 비행기 추락 사고에서 가까스로 생존한 사람들의 이야기였다. 구조를 기다리며 살아남기 위해 벌이는 처절한 사투의 내용도 충격적이었지만, 기체가 반으로 쪼개져 추락하는 도중 승객들이 밖으로 떨어지는 장면은 공포의 정수였다. 게다가 이 영화가 실화를 기반으로 만들어졌다는 사실은, 비행기를 한 번도 타 본 적 없는 꼬마에게 '비행기를 타면 저렇게 될 수도 있구나'라는 인식을 심어주기에 충분했다.

난생처음 겪는 세기의 난기류는 뜬금없이 스무 해 전에 봤던 〈Alive〉의 장면들을 머릿속에 재생시켰다. 눈을 감아도 떠오르는 그 장면들은 어제 본 영화라도 되는 듯 너무 선명했다. 몸은 무중력으로, 머리는 영화 장면으로 고통받았다. 게다가 겨우 눈을 떴을 때, 눈을 꽉 감은 승무원의 얼굴이 보이자 더 두려워졌다. 요란한 고통 속에서는 시간이 얼마나 흘렀는지 가늠할 수 없었다. 난기류가 만들어낸 공포는 시간감각마저 마비시켰다.

기체가 다시 잠잠해지고, 어두웠던 실내가 다시 밝아졌다. 하지만 심장 박동은 여전히 빨랐고, 온몸의 기운은 다 빠져 있었다. 마치 원치 않는 롤러코스터를 수십 번은 타고 내린 기분이었다.

난기류로 인해 비행기 사고가 날 확률은 '거의' 없다는 전문가의 의견을 들은 적이 있었지만, 막상 난기류로 혼란스러운 기체 안에서는 그 전문가들의 얘기가 떠오르지도 않았다. 〈Alive〉의 장면만이 떠올랐을 뿐.

여행이 끝나고 귀국행 비행기에 오르며 간절히 기도했다. 제발 지난 번 난기류만큼은 만나지 않게 해달라고. 내 기도가 전해졌을까, 다행히 돌아오는 비행기는 인천 공항에 착륙할 때까지 고요했다.

여행을 좋아하는 사람에게 난기류는 숙명과 다름없다. 하지만 그 가을에 겪었던 난기류를 떠올리면 여행을 다시 한번 생각하게 된다. 살면서 그 정도의 난기류를 몇 번이나 더 만날지 알 수 없지만, 피할 수 있다면 언제까지고 피하고 싶다. 혹여나 지독한 불운으로 다시 만난다면, 그때는 여행을 결심한 나를 다시 탓해야 할지 모른다.

―――――

이방인의
밤

　여행지에 도착하면 늘 심장이 두근거린다. 비행기, 기차 혹은 차 밖으로 고대했던 낯선 풍경들이 보이면 그제야 일상에서 벗어났다는 쾌감이 들기 때문이다. 하지만 어둠을 둘러싼 불빛들이 전부인 늦은 밤이나 새벽이라면 그 감상은 달라진다. 물론 누군가 마중을 나오거나 타고 갈 차량이 정해져 있다면 덜하겠지만 캄캄한 밤, 자력으로 숙소를 찾아가야 하는 상황이라면 여행지의 첫인상은 낯설고 두려운 땅에 지나지 않는다.

　세 번째 방문이었던 인도 뉴델리 공항에서의 내 심정이 딱 그랬다. 세 번째 방문이니 크게 낯설지 않으리라 생각했지만, 새벽에 도착한 공항은 예상과 달랐다. 인도 특유의 냄새와 분위기를 즐길 틈도 없이, 공항 입구는 나를 데려가려는 택시 운전사들로 아수라장이었다. 이내 내면의 혼란에서 정신을 차리고, 예약한 숙소가 있는 파하르간즈로 가기 위해 선불 택시를 잡아탔다. 반쯤이나 왔을까, 택시 기사는 가뜩이나 초조한 나에게 노골적으로 팁을 요구하기 시작했다. 택시의 속도를 천천히 떨어뜨리며 팁을 주지 않으면 위험한 일을 당할 거라는 말에 불안했던 감정이 순식간에 공포로 치달았다. 낮이라면 택시에서 내려 주위에 도움을 요청하거나 다른 이동수단을 탈 수도 있었을 것이다.(낮이라면 과한 팁을 요구하지도 않았겠지만.) 하지만 도로에 사람 하나 없는 새벽, 어둠 속을 내달리는 택시 안에서 나는 무력한 이방인이었다. 요구한 팁을 주자 택시 기사는 숙소 근처에 나를 내려주었다. 안도와 좌절, 뒤늦게 찾아온 분노가 뒤섞인 새벽의 파하르간즈 거리는 세 번째 방문이라고 하기엔 초라할 정도로 싸늘하기 짝이 없었다.

예약한 숙소에 겨우 도착해 벨을 눌렀다. 체크인을 빠르게 해치우고 편히 잠들고 싶은 생각뿐이었다. 잠에서 덜 깬 직원이 문을 열어주고 장부를 뒤적거리더니 이내 나에게 방이 없다는 말을 건넸다. 무슨 소리인지 이해할 수 없어, 미리 저장해 둔 예약 화면을 보여주며 설명했지만, 직원은 모르쇠로 일관했다. 가뜩이나 택시 기사에게 시달렸던 상태에 숙소에서까지 예기치 못한 상황이 벌어지니 스트레스가 과하게 쌓여

갔다. 이해할 수 없는 실랑이가 몇 분 더 이어졌고, 그 소란에 잠이 깬 숙소 주인이 내려왔다. 주인은 장부를 뒤적이다가 심드렁한 표정으로 내게 말했다.

"예약을 확인했어. 근데 지금은 방이 없으니까 다른 호텔을 알아봐. 아, 취소 수수료는 네가 물어야 하고."

아무리 인도라지만, 이런 배짱 장사라니. 이 새벽에 다른 숙소를 무작정 구하라는 말도, 취소 수수료도 내가 물어야 한다는 말도 받아들이기 어려웠다. 그렇게 30분 동안 실랑이를 벌였다. 직원과 주인도 지쳤는지 나에게 한 가지 제안을 했다. 나는 에어컨이 있는 방을 예약했는데, 지금은 팬(천장 선풍기)이 돌아가는 방만 남아 있어서 아쉬운 대로 그 방에서 자라는 제안이었다. 새벽만 아니었다면 받아들이지 않았을 제안이었겠지만, 이 늦은 새벽에, 그것도 이제 막 여행지에 도착한 이방인에게 무슨 수가 있겠는가. 어차피 하루만 묵었다 떠날 여정이고, 예약금도 아까웠다. 다른 선택지가 없는 터라 아쉬운 대로 그 제안을 받아들였다. 시원찮게 돌아가는 팬 아래에 누워 불과 1시간 안에 일어난 일을 곱씹었다. 세 번째 방문이라 친근할 줄 알았던 뉴델리의 새벽은 위협과 비상식으로 가득했다.

여행지의 밤은 낮과는 확연히 다르다. 어둠을 내뿜는 밤은 친근한 동네마저 위험한 곳으로 만드는데, 하물며 처음 닿는 곳은 어떠할까. 로드뷰를 통해 떠날 여행지를 아무리 살펴볼 수 있는 시대라고 하더라도, 막상 접한 낯선 공간과 낯선 시간대, 더 낯선 사람들은 쉽게 친숙해질 수 없다.

예산과 시간이 빠듯한 나에게 늦은 밤에 떨어지는 여행은 숙명과도 같다. 친절하지 않은 여행지를 자주 겪어야 한다는 뜻이다. 바라는 것이 있다면 여행지의 밤이 조금 더 친절했으면 싶다. 그렇지만 그게 어디 나의 소박한 바람으로 가능한 일인가. 여행지의 밤은 넉넉지 못한 이방인에게 언제까지고 불친절할 것이다. 왜 친절한 낮에 오지 않았냐고 타박하듯이.

3장

―

차라리
불편한 게 나을지언정

차라리
불편한 게 나을지언정

겨우 열 살이 된 내 눈엔 안경 쓴 아이들은 선망의 대상이었다. 안경만 쓰면 왠지 공부도 잘할 것 같던 환상 때문이었다. 가끔은 시력이 좋은 내가 밉기까지 했다. 어떻게든 안경을 쓰고 싶은 마음에 시력 검사를 받다가 초점을 일부러 흐릿하게 만들고는 잘 안 보인다며 거짓말을 했고, 그렇게까지 해서 받아 낸 안경은 내 예상보다 훨씬 멋있었다. 하지만 오래지 않아 안경에게는 나를 똑똑하게 만들어 줄 능력이 없음을 자각했다. 이내 안경에 흥미를 잃었고, 그 후로 오랫동안 안경을 쓰는 일은 없었다.

고등학교 2학년이 되자, 어린 날의 거짓말처럼 칠판의 글씨가 흐릿하게 보이기 시작했다. 그때부터 어쩔 수 없이 쓰게 된 안경은 불편 그 자체였다. 귀는 항상 아팠고, 코 받침이 닿는 부분엔 항상 땀이 찼다. 겨울이 되면 실내에 들어가자마자 세상이 뿌옇게 변하기 일쑤였고, 뜨거운 음식은 뿌연 세상에서만 먹을 수 있었다. 축구를 하더라도 공에 맞을까 늘 불안했고, 농구 중에 일어나는 몸싸움으로 안경을 자주 떨어뜨리곤 했다. 낮은 시력은 그런 불편함을 모두 일으켰다.

  서른이 되기 전, 그런 불편함에서 벗어나고자 시력교정 수술을 받았다. 수술 당일, 서늘한 수술대에 누운 후 왼쪽 눈부터 수술이 시작됐다. 의사의 안내에 따라 레이저가 시야에 들어왔고 왼쪽 눈의 수술은 생각보다 빠르게 끝났다. 문제는 끝남과 동시에 났던 냄새였다. 왼쪽 눈의 각막이 레이저에 깎이면서 나는 냄새. 이 냄새는 아주 친숙한 오징어 타는 냄새였는데, 실상 타고 있는 것은 오징어가 아닌 내 각막이었다.
  왼쪽 눈 수술을 마치고 오른쪽 눈에 레이저를 고정해야 하는 순서가 찾아왔다. 하지만 강하게 났던 '각막 타는 냄새'는 내 눈이 지져지고 있단 사실을 상기시켰고, 그때부터 오른쪽 눈이 파르르 떨리기 시작했다. 레이저에 눈의 초점을 고정해야 했는데, 후각이 모든 감각을 지배하는 상황에서 떨리는 눈을 어떻게 멈춰야 하는지 알 수 없었다. 온몸에 식은땀만 줄줄 흐를 뿐, 어찌할 바를 몰랐다. 의사는 눈을 가만히 멈춰줄 수 없냐고 물었지만, 오른쪽 눈은 이미 내 것이 아니었다.

살면서 공포를 느꼈던 순간을 되짚어 보면, 대부분 시각과 청각에서 촉발된 경우가 많았다. 그래서인지 후각에 의한 공포가 그렇게 끔찍하다는 것을 미처 알지 못했다. 후각이 온몸을 지배하는 느낌을, 눈 수술 도중 몸부림치며 체험하고 있었다. 공포에 질린 신체가 내 의지와 상관없이 움직인다는 사실 또한 공포였다. 다른 사람들에게 피해를 끼치며, 그들에게 집중 받는 상황 역시, 식은땀이 나는 정도로는 설명할 수 없는 괴로움이었다. 그렇게 수술실의 몇 사람이 나로 인해, 정확히는 내 오른쪽 눈으로 인해 아무 일도 하지 못한 채 시간이 흘렀다.

수술에 들어가기 전까지 온화했던 의사도 그 지경에 이르러서는 화를 냈다. 다음 수술 일정에 지장을 줄 수 있는 상황이라며 나에게 제발 가만히 있어 달라고 애원하기까지 했다. 하지만 내 의지를 벗어난 신체는 그의 애원에 응할 수 없었다. 30분을 몸부림친 끝에, 영원할 것 같던 눈 떨림이 가까스로 진정됐고 나머지 수술 과정은 허무할 정도로 빠르게 끝나버렸다. 수술실을 빠져나올 때까지 죄송하다는 말 외에 다른 할 말을 찾기 어려웠다.

수술이 끝난 후 집으로 돌아와 꼬박 사흘 동안 어둠 속에 누워 있었다. 눈은 계속해서 시렸고, 눈물은 끊임없이 흘러나왔다. 그렇게 많은 눈물을 흘려본 적이 있던가. 어두운 방안은 숨 막히게 답답한 공간이었다. 적막한 방에서는 누워 있는 것 외에 달리 할 일이 없었다. 그런 방 안에 누워있으면서 '이대로 시력이 돌아오지 않으면 어쩌지.' 같은 불안감이 사흘 동안 불쑥불쑥 찾아들었다. 적막한 방은 그런 불안감을 증폭시켰다. 수술을 괜히 받았나 싶은 의미 없는 후회와 더불어 수술 당시 오른쪽 눈이 내 의지를 벗어난 상황도 자주 떠올랐다.

나흘째 되던 날 아침, 보호 안경을 벗었다. 시린 눈에서는 눈물이 멈추지 않았다. 눈물 때문에 뿌옇던 방이 시야에 조금씩 들어왔다. 이내 시린 기운이 사라지고 흐릿했던 시야가 또렷해졌다. 다시 볼 수 있게 된 세상이 이렇게 밝고 또렷했나, 새삼 감격스러웠다.

그렇게 좋아진 시력이 요즘 다시 말썽이다. 겨우 7년이 지났을 뿐인데, 초점이 다소 헐거워진 느낌이다. 라섹 수술을 받기 전, 안구 검사를 받고 나서 의사가 했던 말이 있다. 내 각막 두께가 보통 사람의 두 배 정도 된다며, 라섹 수술을 한 번 더 받을 만한 정도라고 칭찬하듯 건넨 말이었다. 그 순간엔 왠지 뿌듯하기도 했고 든든하기도 했다. 못 하는 것보다는 선택할 수 있는 쪽이 나을 테니. 하지만 지금은 그때처럼 뿌듯하거나 든든하지 않다. 그 끔찍한 공포의 순간을 한 번 더 겪어야 한다고 생각하면 차라리 불편한 안경이 더 편할 것 같다.

아웃
포커스

유럽 여행은 왠지 배낭을 짊어지고 떠나야만 할 것 같았다. 그래서 3주가 채 안 되는 일정임에도 바리바리 꾸린 배낭에 굳이 필름 카메라까지 얹었다. 카메라 무게도 꽤 무겁고 여분의 필름까지 챙기느라 번거로움이 이만저만이 아니었지만 말이다. 그런 번거로움 따위는 이국적인 풍경들을 필름 카메라에 담기 위한 약간의 수고라고 여겨야 했다. 약간의 미련이자 욕심이었지만.

미련과 욕심을 불러일으킬 정도로, 순간의 장면을 내가 원하는 프레임과 색감, 이야기로 남길 수 있는 사진은 매력적이었다. 스물다섯 살 무렵 나는 사진에 빠졌고, 사진은 삶의 큰 의미로 다가왔다. 이토록 갈구했던 분야가 있었을까, 사진 하나에 삶이 활력으로 가득 찼다. 이내 목표도 생겼다. 사진학과 편입이라는 구체적인 목표가.

  인도 여행 중 알게 된 친구에게 이야기 하나를 들었다. 인도 바라나시의 갠지스강에는 외국인 여행자들에게 엽서를 팔아 생계를 유지하는 예닐곱 살 아이들이 있다는 이야기였다. 그 얘기를 듣고 난 뒤, 불현듯 사진학과 편입에 필요한 포트폴리오로 그 아이들을 찍어야겠다고 생각했다. 그 결심은 안타까운 마음에서 비롯된 일종의 사명감에 가까웠고, 왠지 운명적이란 느낌까지 들었다.
  하지만 그런 개인적 감상은 나중 문제였다. 우선 필요한 경비를 벌기 위해 고등학교 급식실에서 일해야 했다. 쉴 새 없이 밥 나르는 일이 고되긴 했지만, 쉽게 지치지 않았다. 일을 하면 할수록 인도와 더 가까워지는 느낌 때문이었다. 열정이 몸을 지배하기라도 한 듯, 운명적인 결심이 당장 현실로 이루어지기라도 할 듯.

  하지만 얼마 뒤 인도에서 마주한 현실에 적잖이 당황했다. 머릿속에 그리던 것처럼 아이들과 금방 친해지며 자연스럽게 사진을 찍는 일은 일어나지 않았다. 아이들에게 나는 그저 낯선 이방인이었다. 어떤 방식으로 아이들과 친해져야 하는지 알 수 없던 탓이었다. 평소 낯가림이 있는 성격인지라, 아이들을 따라다니며 가끔 음료수를 사주다가 사진을 몇 장 찍는 것이 전부였다. 쉽지 않은 의사소통도 문제였다. 아이들을 사진의 도구로만 생각하고 어설프게 접근했던 나의 실책이었다.

금방이라도 닿을 것 같던 목표가 거대한 벽처럼 느껴지자 초라한 마음이 들기 시작했다. 무기력과 절망 사이에 덩그러니 놓인 나의 존재를 확인하는 일은 섬세한 고통이었다. 어린아이들에게 나는 과연 어떤 존재인지 생각해보는 것은 심히 괴로운 일이었다. 이유는 모르겠으나 음료수를 사주며 자신들을 찍는 외국인 아저씨였을 나는 과연, 아이들의 삶을 얼마나 이해했을까. 한 달이란 짧은 시간 안에 그들의 이야기를 어떻게 담으려고 했던 걸까. 강변으로 나가 아이들을 마주할 자신이 없어졌다.

사진에 대한 막연한 환상을 가지고 인도에 왔다는 생각에 이르자, 모든 것이 서글펐다. 목표를 향해 거침없이 날아오르다, 어느 한순간 툭 하고 바닥으로 추락한 기분이었다. 모든 것이 의미 없다고 느꼈고, 의미를 잃은 하루는 종일 우울했다.

도시의 무거운 공기도 나의 우울감을 짙게 만들었다. 갠지스 강이 흐르는 바라나시는 힌두교인들이 삶을 정리하기 위해 마지막으로 찾는 성지다. 이곳에서 죽은 뒤 화장된 자신의 유골이 갠지스강에 뿌려지면 윤회가 끝난다고 믿는다. 그 때문에 도시 곳곳에 화장터가 있고, 어떤 화장터는 24시간 돌아간다. 낮에는 장례 행렬이 끊이지 않아, 도시의 무거운 분위기는 이방인인 나도 쉽게 읽어낼 수 있었다. 그런 바라나시에서는 화장터를 바라보든, 갠지스강을 바라보든, 멍을 때리든, 어떤 식으로 시간을 보내도 묵직한 질문이 수시로 날아오는 듯했다. 넌 지금 뭐하는 거냐고, 도시가 내 가벼움을 힐난이라도 하듯.

목표에 좌절하고, 도시의 무거운 공기에도 짓눌린 난, 그저 방향을 잃고 표류하기 시작한 우울한 난파선이었다. 그렇게 위태로운 상태로 보름을 겨우 버티다가 이대로 나를 방치하면 안 될 것 같은 직감이 들었다.(사실 보름을 버틴 것도 뭐라도 되지 않을까 싶은 미련 때문이었다.) 쉽게 포기하고 싶지 않았다. 포기하는 것은 열정에 대한 모독 같았고, 이런 포기나 하려고 떠나온 인도가 아니었기에. 그리고 이후에 하게 될 도전들이 행여 이런 불행한 과정으로 치달을까, 선례를 남기는 것 같아 두려웠다.

그렇지만 무력한 현실에서는 달리 방법이 없었다. 어쩔 수 없이 그 직감을 따르기로 했고, 무거운 바라나시를 벗어나 날씨가 선선해 휴양지로 제격인 북인도 마날리로 향했다. 포트폴리오에 대한 미련은 마음 한쪽에 눌어붙어 있었지만 당장은 내가 살아야 했다. 우울감과 무기력한 나를 떨쳐낼 수 있는 곳으로 도망간 것과 다름없었다.

*

아웃 포커스라는 사진 기술이 있다. 강조하고 싶은 피사체에 초점을 맞추고 배경을 흐리게 하는 기술인데, 이제는 스마트폰으로도 쉽게 사용할 수 있다. 어린 날의 사진에 대한 무모했던 도전이 바로 이 아웃 포커스가 아니었을까 싶다. 목표에 모든 초점이 맞춰져 있었고, 부차적인 기술이나 방법, 계획들은 흐릿했으니 말이다. 물론 아웃 포커스를 활용해서 찍은 사진은 그 사진 나름의 미적 가치가 있다. 하지만 어떤 사진은 모든 피사체가 선명해야 한다. 이를테면 졸업 사진이나 결혼식 단체 사진처럼 말이다.

가끔, 여행에서 찍었던 사진들을 천천히 둘러본다. 그러다 갠지스강 강변에서 찍었던 아이들의 사진을 보기라도 하면, 그때의 미련이 되살아난다. 내가 풀지 못했던 그 아이들의 이야기, 내 도전의 결말, 이 모든 것들이 아쉬움으로 남았음을 다시 확인한다. 사진들을 넘겨보면 아이들 사진을 아웃 포커스로 꽤 많이 찍었다. 미완의 도전이 아웃 포커스로 촬영한 사진으로 남은 모양새다. 도전은 분명 기억과 기록으로 남았지만,

그때 미처 깨닫지 못했던 현실 감각만은 못내 아쉽다.

─────

실망한 관객의
눈을 바라본다는 것은

　일곱 살의 겨울이었을까, 교회에서 성탄절 어린이 연극에 참여했다. 무슨 역할인지 기억나지는 않지만, 크게 어렵지 않은 역할이었다. 무대로 나가서 짧은 대사를 하고 무대 옆으로 내려오는 아주 짧은 장면이었는데, 하필 무대를 내려오면서 발이 걸려 넘어지고 말았다. 관객들은 넘어진 나를 보고 일시에 웃음을 터뜨렸지만, 나는 웃지도 울지도 못했다. 사람들이 웃었다는 사실이 좋으면서도, 넘어졌다는 사실이 부끄럽기도 한, 복잡미묘한 순간이었다.

　이렇듯 어린아이가 무대에서 넘어지는 작은 실수 정도는 관객들도 웃으면서 넘어갈 수 있다. 어린아이에게 큰 기대가 없기에 가능한 반응이다. 하지만 기대가 크면 클수록, 무대 위에서의 실수는 용납되기 어려워진다.

타인의 수많은 눈을 앞에 두고 무대 위의 시간을 홀로 감내해야 하는 것은 어떤 이에게는 숨이 막히는 경험일 수 있다. 반면에 또 다른 이에게는 자신의 실력을 드러낼 수 있는 시간이 될 수도 있다. 특히 부끄러움이 없고 자신감이 넘치는 사람, 흔히 무대 체질이라 불리는 사람에게는 그런 기회가 많으면 많을수록 좋다. 하지만 무대 체질이 아니었던 나에게 무대에 올라 다수의 주목을 받는 시간은 부담 그 자체였다. 왠지 실수를 연발할 것 같은 불길한 예감에 긴장한 티를 내지 않으려 항상 애를 썼다.

고등학교 시절 국어 선생님은 본인이 피곤하면 학생들에게 순서대로 국어책을 읽게 시켰다. 너무 자주 있던 일이라, 반 아이들은 이미 수업 일부라고 여길 정도였다. 그 정도면 편해질 법도 했을 텐데, 내 차례가 오기 전까지 항상 긴장했다. 국어책 읽는 게 대단한 일이 아니었는데도 말이다. 발음이 꼬이지 않게 몇 번이고 입을 풀었지만, 정작 내 차례가 되어 또박또박 읽으려고 하면 꼭 발음이 꼬였다. 반 친구들 앞에서 국어책 하나 제대로 못 읽는 사람이 되고 싶지 않은 부담감 때문이었을까, 그 몇 줄을 읽는 게 그렇게 고된 일이었다.

*

한번은 독서 모임의 연말 파티에 초대된 적이 있었다. 작가와 싱어송라이터로 활동하는 내게 짧은 공연과 시 낭송을 부탁하는 초대였다. 공연 순서는 아이유의 〈밤편지〉를 기타 연주와 함께 부른 뒤 내 노래를 부를 계획이었다. 관객 앞에서 기타를 다잡고, 호흡을 가다듬으며 노래를 부르기 시작했다. 악기를 연주하며 노래하는 것은 생각보다 쉬운 일은 아니다. 연주는 연주대로, 노래는 노래대로 정확해야 한다. 살 떨리는 멀티태스킹이다. 악보라도 보고 할 수 있다면 한결 수월해지지만, 관객과 눈을 마주치며 연주와 가사와 음정을 맞춰간다는 건 평소 연습한 감각을 믿고 간다는 것과 다름없다.

무대 위에서 과도한 긴장감으로 의식을 잃을 것 같은 순간을 구원할 수 있는 건 오직 연습뿐이지만, 안타깝게도 〈밤편지〉는 내가 나를 구원할 정도로 완벽하게 연습되어 있진 않았다. 내 연습량을 너무 과대평가한 탓이었다. 다음 가사가 떠올라야 할 순간에 별안간 딴생각이 떠올랐고, 그 순간 가사와 음정, 기타 코드가 와장창 깨져버렸다. 대참사였다. 버벅거린 순간이 마치 몇십 초는 되는 듯했다. 기절할 것 같은 아슬한 정신을 붙잡아 노래를 겨우 끝냈지만 부끄러움은 온전히 나의 몫이었다. 노래가 끝나고 사람들은 박수를 쳤지만, 위로의 의미인 것만 같았다. 다음 이어진 나의 노래와 시 낭송은 큰 사고 없이 끝났지만, 실망감은 행사가 끝날 때까지 사라지지 않았고, 가슴에 얹힌 민망함에 사람들을 제대로 쳐다볼 수 없었다.

무대는 책임감을 전제한다. 그 무대를 바라보는 사람들의 기대감을 충족시켜야 하는 막중한 책임감. 그들의 시간과 부여받은 기회를 허투루 쓸 수 없다. 무대에 올라가기 직전부터 요란한 심장 박동으로 책임감의 무게를 실감했지만, 결국 그 무게를 극복하지 못한 셈이었다. 아직 무르익지 않은 노래와 연주를 감히 보여준 대가는 자괴감이었다.

그 사건에서 겪었던 자괴감을 완전히 극복하진 못했다. 연습량을 몇 배로 늘렸지만, 그때처럼 또 실수하진 않을까, 무대에 오를 때마다 나를 의심하곤 한다. 무대에서 카타르시스를 느끼기보단, 실수 없이 무대를 끝내서 안도하는 쪽에 더 가까운 편이다. 실망하는 관객의 눈을 다시 마주하고 싶지 않은 탓이다.

직장인 친구가 한 번은 그런 얘기를 했다. 회사 임원들 앞에서 하는 발표가 그렇게 떨린다고. 수치나 도표에 작은 실수도 있으면 안 된다는 압박감에 멘트와 자료들을 수시로 살펴보는데, 평소에 느낄 수 없는 중압감에 준비 과정이나 발표 도중 겪는 스트레스가 이만저만이 아니라고 했다. 친구의 말에 묘한 위로를 받았다.

무대에서 노래하는 사람이나 회의에서 발표하는 사람이나, 앞에 앉은 사람들의 기대감을 충족시켜야 하는 마음은 크게 다르지 않으므로.

—

모두의
공포

2015년 11월 13일. 정확한 날짜를 기억하는 몇 안 되는 날이다. 친구와 함께 런던에서 파리로 가는 야간 버스 안이었다. 시간은 자정이 가까워질 무렵이었고, 여행자들은 모두 피곤했는지 버스 안은 고요했다. 버스가 도버 해협을 유유히 건너는 도중, 사람들의 수군거리는 소리가 들렸고, 그들은 무엇인가에 동요하는 듯 보였다. 몇몇 서양인들은 심각한 표정으로, 어딘가에 전화를 걸기 시작했다. 심지어 울음을 터뜨리는 여성들도 있었는데 눈앞의 상황만으로는 도대체 무슨 일이 벌어진 것인지 짐작할 수 없었다. 불안한 마음에 뉴스를 검색했고, 불과 세 시간 전에 파리에서 테러가 발생했다는 사실을 알수 있었다. 갑자기 현기증이 일었다. 그리고 버스 안의 분위기는 급격히 처참해졌다.

절망의 언어는 직감적으로 해석할 수 있었던 탓에, 서로가 어떤 공포를 느끼고 있는지 충분히 알 수 있었다. 저마다의 언어와 울음이 뒤섞인 버스는 별다른 방법 없이 파리에 점점 가까워지고 있었다. 살면서 테러라는 단어가 이렇게 두려운 적이 있었을까. 버스 안에서 느낀 테러에 대한 공포는 굉장히 낯선 종류였다. 그전까지는 영화나 드라마에서는 흥미로운 소재로, 혹은 뉴스에서 접하는 안타까운 다른 나라 이야기에 불과했다. 하지만 당장 그 버스 안에서 접한 테러는 당장 내가 당할지도 모르는 실제적 위험이었다.

피로감에 몽롱해진 정신과 흐느끼는 외국인들의 울음에 꿈과 현실을 넘나드는 기분이었다. 버스 안 울음이 서서히 가라앉아도 이미 엄습한 공포는 좀처럼 사그라지지 않았다. 우리는 안전할까, 남은 여정은 무사히 마칠 수 있을까. 답 없는 걱정에 어느새 새벽 4시가 넘었고, 그제야 종착역에 도착했다. 혼란했던 버스에서 탈출하다시피 내렸다. 새벽이라 파리의 상황을 정확하게 알 수는 없었지만, 그 혼란스러운 공간을 빠져 나온 것만으로도 숨통이 트였다.

*

메르스가 기승을 부리던 시기의 그 날도 공교롭게 버스 안이었다. 뒷좌석에 앉은 할아버지가 기침하기 시작하면서 버스의 고요함에 금이 가기 시작했다. 처음엔 대수롭지 않게 생각했는데, 그 기침의 정도가 점점 심해졌다. 금방이라도 기침과 함께 피를 토할 것 같은 할아버지가 마스크를 하지 않았다는 사실을 알게 되자, 나는 금세 사색이 되었다. 드는 생각은 하나뿐이었다. '내려야겠다'. 아직 세 정거장이 남은 상황에서 내가 감염될지도 모른다는 공포에 몸이 머리보다 먼저 반응했다. 급하게 정차 벨을 누르고 내리려는데 나 말고도 서너 명의 사람이 급하게 나를 따라 내렸다. 그리곤 버스에서 내린 모두가 다음 버스를 기다렸다. 한 종류의 버스만 정차하는 정류장이었으니, 아마 그들도 나와 크게 다르지 않은 이유로 내렸으리라.

*

코로나가 우리나라를 덮치기 직전, 첫 확진자가 발생했다는 뉴스가 보도됐다. 그때는 모두가 크게 불안해하지 않았다. 그 시점까지는 중국에 한정된 일이라고 여겼던 탓이다. 확진자는 조금씩 늘어나다, 30명이던 숫자가 슈퍼 전파자를 기점으로 순식간에 500명으로 늘어났다. 불안은 확진자의 숫자만큼이나 불어나기 시작했다. 젊은 사람도 전염된다는 소식과, 집 근처에서 확진자가 나왔다는 소식을 듣기 시작하면서 코로나의 심각성을 인식했다. 사람들은 마스크를 비롯한 위생용

품을 사기 시작했고, 얼마 지나지 않아 품귀현상이 발생했다. 확진자의 숫자는 어느새 천 단위를 넘기고 있었다. 많은 사람이 집 밖으로 나오지 않았다. 사람으로 붐벼야 할 시간에 어색할 정도로 한산했던 거리는, 모두가 같은 공포를 느끼고 있다는 방증이었다.

공포는 아주 강력한 전염성을 가지고 있다. 감염병이 공기나 비말을 통해 전염된다면, 공포는 분위기를 매개로 전염된다. 공포는 언어가 다르다고 해도, 심지어 대화를 나누지 않아도 알 수 있다. 국적이 서로 다른 사람들이 테러에 대한 공포를 한 마음으로 느꼈던 그날과, 기침 소리에 나를 포함한 몇몇이 버스에서 급하게 내린 그날을 떠올리자면 모두 공포에 전염된 듯했다. 마스크 재고가 0으로 표시된 판매 사이트를 보면서도 마찬가지였다.

모두가 공황 상태에 빠지기라도 한 것처럼 혼란스러운 상황에서 침착함을 유지하기란 그 어떤 일보다 어려워 보인다. 지극히 개인적인 공포도 끔찍하지만, 모두가 같은 공포를 인식하고 있는 순간은 그 순간대로 끔찍하다. 각자가 느끼는 공포가 하나의 사실로 받아들여지는 순간, 각 개인은 작고 무력한 존재가 되어 버리기 때문이다.

슬픈 예감은
틀린 적이 없지

　명절 즈음이 되면, 멘탈을 보호하는 방법이 인터넷에 떠돌기 시작한다. 명절에 누군가는 멘탈이 깨진다는 방증이다. 아마도 그건 연락이 없던 친척들이 대략적인 위치만을 묻는 까닭일 것이다. 어느 대학에 입학했는지, 어느 회사에 취직했는지, 결혼은 언제 할 것인지 등등. 이런 얕은 질문은 누군가에게는 맹렬한 독이 되어 버림에도.

　대학교 졸업이 얼마 남지 않은 시기엔 나의 객관적인 지표를 확인하는 일은 무엇보다 큰 두려움이었다. 학점은 얼마고, 토익점수는 얼마고, 그리고 내 학교는 어디고. 대략적인 수치로 환산할 수 있는 나란 사람은 참 보잘것없었다. 눈에 띄게 잘하는 것도 없었고, 그렇다고 하고 싶은 일이 뚜렷하게 있는 것도 아니었다. 그저 취업에 대한 막연한 걱정만 가득했다. 명절 때마다 일을 핑계로 친척 집에 가지 않았던 것도 그때부터였다. 내가 나를 객관적으로 보는 것도 고통인데, 구태여 친척들의 질문까지 받고 싶지 않았다. 아무리 악의가 없다고 한들, 그런 질문들은 내 귀에 닿는 순간 독이 되어 버리기에. 불안한 나의 모습을 타인을 통해 한 번 더 확인하는 일은 또 다른 고통이었다.

*

슈퍼스타K 오디션에 참가한 날이었다. 취업 대신 음악을 시작하고 얼마 지나지 않은 때였다. 상암 월드컵 경기장에서 열린 2차 예선에는 족히 수만 명은 되어 보이는 인파가 모였다. 가벼운 마음으로 참가한 오디션이었지만, 현장에 도착하니 그 규모에 압도되었다. 몇 시간을 초조하게 기다린 끝에 조그마한 천막 안으로 들어갈 수 있었다. 심사위원들을 마주하자 긴장감이 극도에 달했다. 나를 무표정하게 쳐다보는 눈들을 앞에 두고 정신없는 와중에 자작곡을 한 곡 불렀다. 그때부터 위장이 휴대폰 진동처럼 파르르 떨리기 시작했다. 극심한 긴장이 위경련을 일으킬 수 있다는, 아주 괴롭고 신기한 체험이었다. 자작곡 이외에 따로 준비했던 〈고래사냥〉을 겨우 부르고 나니, 현실 감각이 돌아오기도 전에 그만 나가도 좋다는 얘기가 들려왔다. 멋쩍은 표정으로 기타를 주섬주섬 챙겨 천막을 도망치듯 빠져 나왔다. 마지막으로 스친 오디션 현장은 싸늘했다.

결과는 탈락이었다. 심드렁한 현장 분위기를 이미 읽은 터라 그리 놀랍지도 않았다. 다만 위통을 일으킬 만큼 불안했던 그 순간은 다시 떠올랐다. 의미 있는 경험이라 생각하고 넘기고 싶었지만, 그때 겪었던 위통은 다시 생각해 봐도 아찔했다.

그날 이후로 TV에 방영된 슈퍼스타K를 보지 않았다. 아쉽게 떨어진 것도 아니라 그럴 필요까지는 딱히 없었지만, 그 프로그램을 볼 때마다 심사위원 앞에서 불안했던 내가 자꾸 떠올랐다. 게다가 멀쩡한 위에도 다시 경련이 찾아오는 듯했으니, 보지 않을 이유는 충분했다.

스스로 만족하지 못했다는 사실은 그 자체만으로도 아쉬움, 혹은 불안이 된다. 그와 더불어 객관적인 평가까지 더해지면 그 불안은 고통으로 변하고 만다. 상처 난 부위에 누군가 손을 댄 것처럼, 혹은 쓰리고 쓰린 위경련처럼 말이다. 벼락치기로 공부하고 치른 시험의 성적을 확인할 때마다 살갗이 따끔거리던 이유도, 폭식한 다음 날 체중계에 올라가는 일이 늘 두려운 것도 같은 이유였으리라. 이미 짐작하던 불안한 예측이

거대한 파도가 되어 나를 덮치는 순간이다. 슬픈 예감은 틀린
적이 없다고 했던가.

———

나이를
먹는다는 것

우리는 알게 모르게 조금 더 높은 숫자를 차지하기 위해 애쓰는 삶을 산다. 자본주의에서의 높은 숫자는 가치가 높음을 어느 정도 보증하기 때문에. 월급도 될 수 있으면 높은 숫자가 좋다. 자동차 시리즈에 붙는 숫자는 높아지면 높아질수록 고급 차종이 되고, 전자제품도 마찬가지다. 게임에서도 레벨을 나타내는 숫자는 높을수록 강하다는 것을 의미한다. SNS 팔로워도 기왕이면 높은 숫자가 좋다.

그런데 해가 지나갈수록 정직하게 더해지는 나의 나이는 유독 그렇지 못하다. 나이 들어가는 건 성숙해져 간다기보다 쇠약해져 가는 과정인 것만 같다. 예전만큼 힘이 넘치는 것도 아니고, 어쩌다 한 번 다치면 회복하는 데 꽤 오랜 시간이 걸린다. 몸은 더 많은 쉼을 요구하고, 머리카락은 하루가 다르게 힘을 잃어가는 것만 같다. 이런 몸의 변화 때문인지 나이 드는 게 서글프다는 생각이 자꾸 든다. 젊음이 너무 빠르게 지나가 버렸다는 생각이 들기도 하고. 그럼 지금은 젊은 게 아닌가 싶다가도, 서른여섯의 나이가 그렇게 젊은 건 아닌 것 같다는 생각이 든다.

*

스물아홉 살의 나는 서른 살이 되는 것이 두려웠다. '서른'은 그야말로 미지의 세계였다. 이십 대의 10년을 어떻게 보냈는지 제대로 복기할 시간도 없이, 준비가 안 된 상태로 거대한 관문을 넘어야 할 것 같았다. 〈서른 즈음에〉 노랫말이 그렇듯, 이십 대의 나는 빠른 세월 속에 점점 더 멀어져 가는 듯했다. 사람은 모름지기 나이에 어울리는 행동을 해야 한다고들 하는데 스물아홉 살에 어울리는 것은 무엇이고, 서른 살에 해야 하는 행동은 무엇인지, 명확한 가이드가 없는 세대의 변화가 그저 막막하기만 했다.

그렇게 스물아홉의 해가 어영부영 지나, 서른이 되어버렸다. 삼십 대가 되기 싫어 떡국조차 먹지 않았는데 말이다. 나이의 앞자리가 바뀌고 나니, 열아홉에서 스무 살로 넘어갈 때의 환희는 온데간데없고, 우울한 마음만 들끓었다. 몇 년 지나고 보니 사실 서른도 별것 없다는 생각이 들지만, 안타깝게도 그런 생각이 드는 지금은 마흔 살이 그리 멀지 않은 시점이다. 어느새 나는 또 하나의 관문을 앞둔 것이다. 이럴 때 보면 세월의 속도는 나이와 비례한다는 말이 가슴에 꽂힌다.

빨리 어른이 되고 싶은 아이들이 있다. 어른이 되면 좋은 일만 있을 줄 알고. 어른이 되면 실제로 좋은 점도 많다. 본인이 원하고 능력만 된다면 할 수 있는 것들이 수도 없이 많아진다. 하지만 그만큼 감당해야 하는 것들이 많아진다. '나이'도 어른이 감당해야 할 무게 중 하나다. 적어도 자신의 몸 하나 정도는 건사해야 어른의 칭호를 부여받는다. 혹여 나이가 들어 철없는 행동을 하면 나잇값 못한다는 말을 듣는다. 그렇게 보면 내 서른 즈음은 어른이라고 불리기에 아슬아슬했다. 분명 나는 열심히 살았지만, 사회의 기준으로 보면 몇 년째 답보 상태라. 직장 생활 대신, 하고 싶은 음악을 하면서 사는 게 어떤 이에게는 철없는 행동으로 보일 수 있었으니 말이다.

타인을 의식하지 않으려고 부단히 애를 쓰지만, 나이가 들어가면서 점점 더 힘들어진다. 자신의 영역에서 유의미한 성과를 내야 하고, 수입도 그만큼 늘어야 하고, 결혼도 해야 하고, 자녀도 낳아야 하며, 가정도 돌봐야 하는 완벽한 사람이 되어야 할 것만 같다. 나는 그럴 자신이 없는데, 나이가 나를 더 부담스럽게 만든다. 어렸을 때는 멋있는 어른이 되고 싶었고, 지금은 좀 더 멋있게 늙어가길 원한다. 그러나 현실은 나이가 들어가는 게 영 불편하기만 하다. 멋있는 어른이 되는 것도, 멋있게 늙어 가는 것도 왜 이리 어려운 건지.

―――

전화가
오면

전화벨이 울리면 자연스럽게 펜과 종이를 찾는다. 적을 준비가 되어 있지 않으면 괜히 불안하다. 통화 내용이 별 게 아니어도 대화와 관련된 키워드라도 끄적거리면 안심이 된다. 적을 키워드가 딱히 없으면 상형문자라도 그린다. 스마트폰이 그 성능의 한계를 하루가 다르게 경신하는 시대에, 참으로 고전적인 불안 해결 방법이다.

———

타인의
불안 4

"제 두려움은 아버지였어요."

비교적 최근에 알게 된 지인 J였다. 쓰고 있는 책에 관해서 얘기할 기회가 있었는데 그 주제가 불안이라고 하니, 재밌을 것같다며 기회가 되면 그 주제로 대화를 나누자고 했다. 몇 주 뒤 J에게 인터뷰를 요청했고, J는 흔쾌히 응해 주었다. 예전에는 낯을 많이 가리고 자신에 관한 얘기를 잘 안 하려고 했지만, 지금은 자신의 얘기를 하는 데 큰 불편함이 없다는 말도 덧붙였다. 운이 좋았다고 생각했다. J는 별일 아니라는 듯 침착하게 본인의 두려움을 얘기했다.

J 아버지는 거의 알코올 중독이셨어요. 담배도 너무 자주 피

우시고. 몇 년 전에 폐암 수술을 받으셔서 이제 담배는 못 피우시지만, 가끔 가족들에게 시위처럼 담배를 피우실 때가 있었어요. 저는 그런 아버지가 너무 두려웠어요. 제 남동생이 태어나기 전까지 포악한 사람이었거든요. 물건을 던지셨고, 가정 폭력에 가까웠어요. 아빠랑 엄마는 너무 자주 싸웠어요. 그게 너무 무서워서 5학년 때까지 자면서 오줌을 쌌던 기억이 있어요. 아빠가 물건을 던지시면 엄마도 같이 물건을 던지셨어요. 그게 무서워서 4학년 땐가, 아빠 팔에 매달려서 엉엉 울었던 기억이 나요.

∫ 초등학교 1학년 때 전 과목 시험에서 2개인가 틀렸어요. 시험을 잘 봤다고 엄마가 비닐로 된 하얀 장화를 시장에서 사 오셨어요. 그걸 신겨주시면서 막 우셨어요. 정확한 문장은 기억나지 않지만, '네 아빠는 저렇지만, 너는 공부를 잘해야 한다'라는 말씀이셨어요. 그때부터 저한테 의지하셨던 것 같아요. 집안의 기둥처럼. 그래서 그때 생각했어요. 아, 나는 공부를 잘해야 하는구나. 내가 공부를 못하면 엄마가 사는 의미가 없겠구나 싶어서 공부를 사명감으로 했어요.

∫ 아버지라는 존재가 너무 크고 두려워서 저는 기가 항상 죽어 있었어요. 어디 가서 말도 잘 못 하고. 어떻게 하면 이 지옥 같은 곳을 벗어날 수 있을까에 대해서 많이 생각했어요. 그런

데 남동생이 태어나면서 의료사고가 있었어요. 그 사고로 3세 아이 정도의 지능으로 살아갈 수밖에 없어요. 남동생의 사고는 아버지로서도 큰 시련이었던 것 같아요. 그때부터 아버지도 기가 많이 꺾이셨거든요. 그렇게 되면서 자연스럽게 두려움의 대상이 아버지에서 남동생의 미래로 옮겨갔어요. '남동생이 크고 나면 부모님이 돌봐줄 수 없는 날이 올 텐데, 그때 내가 돌봐줄 수 없으면 어떻게 하지?'라는 두려움이요. 확실히 부모님이 나이 드시면서 그런 두려움이 점점 커지더라고요. 장애인 자녀를 가진 부모의 소원은 하나에요. 자기 자녀보다 하루만 더 오래 살게 해 달라고. 그런데 부모님의 그 소원이 이뤄지지 않으면 그 역할을 제가 해야 한다는 생각을 언제부턴가 하게 됐어요.

J 이 지옥 같은 상황과 두려움을 벗어나려면 마인드 컨트롤을 할 수밖에 없었어요. 그리고 남들은 3년, 5년, 10년 이렇게 장기적으로 목표도 세우고 그러는데, 저는 너무 멀리 보면 두려우니까 하루하루에 집중하면서 길게 보지 않으려고 노력해요. 그리고 제가 어떻게 성장하는지에 집중하는 것으로 그 두려움을 덮으려고 해요.

J가 얘기하는 도중에 내가 할 수 있는 말은 그리 많지 않았다. 딱히 되물을 것도 없었고, 대화의 형식은 인터뷰라기보다

는 독백에 가까웠다. 폭력적인 아버지에게서 벗어나고 싶었던 과거의 일을 마치 낯선 사람의 이야기인 것처럼 여유 있는 어투로 얘기했다. 간간이 유머도 섞어가며. 아버지에 대한 공포가 적어도 현재 진행형은 아니었기에 가능한 유머였으리라.

 J는 아버지에 관한 얘기를 덧붙였는데, 아버지는 예전부터 삶의 의지가 별로 없던 분이고, 작년에는 죽을 생각으로 수면제를 몇십 알 드셨다가 겨우 살아나셨다고 했다. 그 얘기를 하면서 J는 아버지를 안쓰러워했다. 두려움의 대상이 아버지에서 동생의 안위로 옮겨갔다는 말은 분명한 진실처럼 느껴졌다. 공포에 시달리는 사람에게 먼 미래는 꿈도 꿀 수 없다. 제코가 석 자라 당장 그 순간을 벗어나는 것 말고 다른 것은 생각하기가 좀처럼 쉽지 않기 때문이다. 동생의 미래를 위해 자기가 할 수 있는 일이 무엇인지를 고민하고 걱정하는 J에게, 두려움의 대상이었던 아버지는 이미 과거의 사람 같았다.

―――――

개연성
파괴범

　나라 곳곳에, 그리고 세계 곳곳에 이상한 사람이 생각보다 많다는 걸 인터넷을 통해 자주 확인한다. 내 상식으로 이해하기 어려운 사람들이 원래 많았는지, 아니면 시대의 흐름과 함께 그런 사람들이 늘어났는지, 인과관계는 명확히 알 수는 없으나 뉴스 기사나 인터넷에 올라오는 사건을 보면 비상식적인 사람이 많은 세상임은 분명한 듯하다.

　인터넷 커뮤니티에는 유독 이상한 사람들, 이를테면 무리하게 사적인 요구를 하는 직장 상사나 불법 주차를 하고도 적반하장으로 나오는 등, 일상에서 마주칠 법한 비상식적인 부류가 자주 등장한다. 그런 사람들의 공통점은 대개 무례하다는 것. 비상식적인 사람들의 사고는 무례함을 통해 어떻게든 세상 밖으로 나오고 싶어 하는 것일까. 물론 비상식적인 사람의 존재를 뉴스나 인터넷으로 확인하는 것도 불쾌한 일이지만, 그런 사람과 마주치거나 얽히는 건 그보다 더 불쾌한 일이다. 게다가 그 사람이 나에게 해를 입힐 수 있는 상황이라면, 그 순간부터 내가 느끼는 감정은 불쾌함을 넘어 공포로 다가온다.

*

대학생으로서 보내게 될 마지막 여름 방학을 며칠 앞둔 날이었다. 수업을 마치고 집으로 돌아가는 버스 안은 이미 사람들로 붐볐다. 뒷문 바로 옆에 간신히 서 있었는데 얼마 지나지 않아 한 정류장에서 서른 살은 족히 넘어 보이는 남자가 차에 오르더니, 서 있는 사람들을 마구 밀치며 뒤편으로 걸어왔다. 나도 밀쳐졌던 터라, 맨 뒷좌석에 앉으려고 기다리는 그를 불쾌한 표정으로 쳐다봤다. 이상하리만큼 행동이 과격했던 그는 버스 맨 뒷좌석에 자리가 나자, 좌석 중간에 다리를 쫙 벌리고는 왕이라도 된 듯 당당하게 앉았다.

사건은 갑자기 일어났다. 다리를 있는 대로 벌리고 앉아 있던 그가 별안간 옆에 앉은 남자를 주먹으로 때리기 시작했다. 순식간에 벌어진 그 광경은 심히 기이해서 현실감을 전혀 느끼지 못했다. 주변 사람들이 말릴 새도 없이, 그는 몇 대를 때리고도 분이 안 풀린다는 듯 씩씩거렸다. 한 아주머니가 뭐하는 짓이냐고 나무라자, 아주머니에게 따지듯 소리쳤다.

"얘가 내 발을 밟았잖아요!"

맞은 남자는 얼굴을 감싸 쥔 채 고개를 숙이고 있었고, 몇몇 사람들은 경찰서에 가야 하지 않냐고 웅성거렸다. 그러나 누구 하나 대놓고 이야기할 수 없었던 것은, 그가 사람들을 죽일 듯이 쏘아보고 있던 탓이었다. 나 또한 무슨 해코지를 당할지 몰라 창문 쪽에 시선을 고정한 채 얼어 있었고, 맞은 남자가 안타까워 힐끔힐끔 쳐다볼 뿐이었다. 상식 밖의 사람과 한 공간에 있다는 사실은 내 몸을 경직시키기에 충분했다.

버스 창문의 검정 플라스틱 면은 마치 거울 같아서 그의 얼굴을 몰래 쳐다볼 수 있었다. 참 평범하게 생긴 얼굴이라고 생각하던 찰나, 그 검정 플라스틱 면 안의 그와 눈이 마주쳤다. 순간 소름이 돋으며 몸이 굳었고, 더 쳐다봤다간 큰 사달이 날 것 같은 직감이 일었다. 생존 본능은 눈을 빨리 돌리라고 지시했고, 그와의 눈 맞춤은 순식간에 끝났다. 비상식적인 데다 폭력적인 사람과 눈을 마주친다는 것이 그렇게 큰 공포인 줄은 미처 알지 못했다. 학교에서의 체벌 혹은 싸움처럼 일반적으로 경험했던 것과는 질적으로 다른 폭력이, 그것도 아주 낯선 이의 폭력이 나에게도 가해질지 모른다는 생각은 상당한 공포였다. 내가 그 정도였는데, 하물며 맞은 남자는 어땠을까.

하지만 기이했던 상황은 더욱더 기이하게 끝났다. 맞은 남자는 따지거나 경찰서에 가자는 말도 없이 두 정거장 뒤에 바로 내렸고, 못마땅한 표정으로 다리를 벌린 채 한참을 씩씩대던 그 남자는 다섯 정거장쯤 뒤에 사람들을 다시 격하게 밀치며 버스에서 내렸다. 다시 버스 안에 평화가 찾아왔고, 그제야 아주머니 두 분이 육두문자를 섞어가며 그 남자를 욕하기 시작했다. 아주머니들의 찰진 욕 덕분이었을까, 겁에 질린 상태에서 간신히 벗어날 수 있었다.

드라마나 영화, 소설 등 허구의 이야기에서는 개연성을 중요하게 다룬다. 개연성이란 현실에서 충분히 일어날 수 있을 법한 성질로, 독자나 관객을 설득할 수 있을 정도의 보편성을 포함한다. 우리의 삶은 적절한 인과 관계로 이루어져 있으므로. 하지만 그날 버스에서 일어났던 일은 인과 따위는 안중에도 없던, 개연성이 철저하게 결여된 '비상식적인' 사건이었다. 발을 밟혔다는 이유로 폭력을 행사하는 사람에게 무슨 개연성이나 상식을 기대할 수 있을까. 그가 분노 조절 장애를 겪는 사람이 아니라면, 달리 해석할 여지조차 없다. 만에 하나 그렇다고 해서 그의 폭력이 정당화될 수 있는 것은 아니지만.

나와는 전혀 다른 방식으로 사고하는 사람에게서 느껴지는 감정은 경탄 혹은 두려움이다. 전기 자동차나 화성 식민지에 관한 계획을 현실로 구현하고 있는 일론 머스크 같은 인물에게 느끼는 감정이 경탄이라면, 해석이 불가능했던 버스의 그 무뢰한에게 느낀 감정은 두려움이었다. 그 남자가 '네가 뭔데 나를 쳐다봐!'라며 나를 때려도 전혀 이상하지 않을 상황이었으니 말이다. 그 남자에게는 그게 상식이었을까. 그런 비상식적이고 폭력적인 존재가 도처에 깔려 있다고 생각하면 속이 갑갑해진다. 언제고 내가 피해자가 될지 모르는 살벌한 세상이다.

영화
헤살꾼

우스갯소리를 들었다. 〈유주얼 서스펙트〉가 상영 중인 영화관을 나오면서 다음 회차를 기다리던 관객들에게 "○○○○가 범인이다!"라며 외치던 사람을 국내 1호 스포일러로 보는 게 맞지 않느냐는 농담이었다. 영화가 개봉한 지 벌써 20년도 더 된 일이고 내가 겪은 일이 아니라 웃어넘길 수 있었지만, 이 글을 쓰면서 당시 영화를 기대하며 줄 서 있던 사람들의 심정을 진지하게 헤아려 보니 가히 처참한 테러와 다름없었다.

감독이 설계해놓은 서사를 그대로 따라가는 것은 관객으로서 가질 수 있는 최상의 유희인데, 이 즐거움을 일순간에 깨버릴 수 있는 것이 바로 스포일러다. 결말의 반전이 영화의 핵심 요소로 자주 사용되면서 스포일러는 필수불가결하게 따라

붙는 골칫거리가 되었다. 이 골칫거리는 인터넷 곳곳에 지뢰처럼 깔려 있어 자칫하면 피해를 볼 수 있다. 뉴스 기사의 제목 혹은 댓글, 어느 커뮤니티의 글 제목으로, 언제 어디서 당할지 알 수 없다. 인터넷을 사용한다는 것은 어디서 튀어나올지 모르는 스포일러에 대한 불안감을 감수해야 한다는 뜻이기도 하다.

나는 서사를 정해진 순서대로 감상하는 방법을 선호한다. 중간부터 감상하는 것은 그 서사를 온전히 즐길 수 없다는 생각에, 중간부터라면 차라리 보지 않는다. 정방향을 선호하는 나에게, 서사의 순서를 일순간 비틀어버리는 스포일러는 날벼락이다. 그 때문에 스포일러 당할 수 있는 영화에 한해서는 될 수 있으면 개봉일에 보려고 하는 습관이 생겼다. 스포일러에 너무 쉽게 노출된 지금 시대에선 내가 부지런해지는 수밖에 없다.

*

〈어벤져스 : 엔드게임〉이 개봉한 당일, 늦은 저녁 시간의 영화를 예매하고 들떠 있었다. 10년간의 시리즈를 마무리하는 영화라 기대가 이만저만이 아니었다. 개봉 당일에 본다는 생각에 들떠서 방심한 탓이었을까. 영화관을 가기 한 시간 전,

무심코 봤던 스포츠 기사 댓글로 스포일러를 당했다. 결말이 어떻게 될지 미리 알게 된 영화는 김빠진 탄산음료처럼 밋밋했다. 인물들의 행동 하나하나가 결말을 암시하는 듯해 영화의 세세한 즐거움에 집중하기 어려웠다. 겨우 한 문장뿐인 댓글이었는데 말이다.

스포일러를 일삼는 인간 군상에 관해 곰곰이 생각했다. 앞서 얘기했던, 극장에서 줄 선 사람들에게 스포일러를 저지른 사람은 최소한 자신을 노출하기라도 했지, 랜선 너머로 타인의 즐거움을 망쳐 놓는 것으로 재미를 느끼는 인간들은 더 악질이다. 다른 사람보다 결말을 일찍 알게 된 것이 무어 대단한 성취라고 불특정 다수에게 테러를 가한단 말인가. 익명에 기댄 치졸한 악행일 뿐이다. 글을 쓰다 얼굴이 벌겋게 달아오른다. 하지만 내 얼굴이 달아오른 것과는 별개로, 얼마간 기다린 내 즐거움이 누군지도 모르는 사람에 의해 망쳐질 수 있다는 사실은 두려운 일이다.

스포일러는 법으로 처벌할 수 있는 근거가 약하기 때문에 근본적인 해결책이랄 게 없다. 그저 각자의 양심에 맡겨야 한다. 하지만 그걸 기대하기에 온라인상의 익명이란 시스템은 정화가 불가능한 악에 가깝다.

'영화 헤살꾼'은 스포일러를 우리말로 순화한 단어다. 국립

국어원에서 진행한 투표를 통해 '재미 도둑', '발쇠꾼', '영화 떠버리', '영화 행자꾼' 등의 후보를 제치고 채택됐다. 헤살이란 단어 자체가 생소하지만, '일을 짓궂게 훼방함'이란 뜻과 그 어감을 생각해 보면 아주 적절한 순화 같다. 소설이나 드라마, 연극 등 다른 장르에서도 스포일러가 통용되는 단어인 탓에 '영화'라는 단어가 적절하냐의 논란은 작게 있었지만, 영화 스포일러의 빈도수와 상징성으로 인해 다수가 선택하지 않았나 짐작해 본다.

사전에서 헤살을 검색하다가 혹시나 '해살'에 대한 단어도 있는지 검색해봤다. '해치거나 다치게 하는 악한 행동을 한다'는 뜻의 충청 방언이 있었다. 헤살이나 해살, 아 다르고 어 다르다지만, 스포일러를 순우리말로 바꾸기엔 '아'나 '어' 모두 적절해 보인다. 재미로 던진 돌에, 누군가의 재미는 맞아 죽는다.

악몽의
해석

　어릴 때 자주 꾸던 꿈이 있었다. 하나는 내가 악당을 물리치는 영웅이 되어 하늘을 자유롭게 나는 꿈이었다. 〈후뢰시맨〉이나 〈바이오맨〉 같은 전대물에 심취했던 내게, 이 꿈은 주인공이 될 수 있는 신기한 경험이었다. 높은 하늘로 순식간에 솟구쳐오를 때 그 가슴 떨리는 흥분과 중력을 거스르는 짜릿함, 빠른 속도로 날아다니는 자유로움은 그 어디에서도 경험할 수 없는 환상적인 꿈이었다. 깨고 나면 더 길게 이어지지 못해 늘 아쉬웠을 정도였다.

　다른 하나는 지하철 승강장이 배경으로 나오는 꿈이었다. 꿈에 매번 등장하는 승강장은 아주 어두웠고, 양옆으로 지하철이 지나다녔다. 꿈인지 전혀 인식하지 못할 정도로 너무 평온한 장면도 잠시, 선로에 맞닿아 있는 승강장 바닥이 아래로 비스듬히 꺼지기 시작했다. 사람들은 선로로 떨어지지 않기 위해 승강장에 매달려 안간힘을 썼지만, 두 개의 큰 미끄럼틀처럼 변해버린 승강장에서는 다른 방법이 없었다. 나도 필사적으로 매달렸지만, 곧 선로에 떨어지고 말았다. 그 순간 영화의 한 장면처럼 지하철이 하얀 불빛을 내며 돌진했고, 모든 사람이 그 지하철에 치이는 장면을 마지막으로 꿈에서 깨곤 했다. 꿈의 내용도, 땀에 흥건히 젖은 몸도 찝찝했다. 도대체 이런 꿈을 왜 자주 꾸는지 그 이유를 알 수 없어 더 답답했다.

*

　지그문트 프로이트는 꿈은 현실과 맞닿아 있고, 의식에서 억압된 것들이 무의식의 꿈에서 발현되는 것이라 주장했다. 프로이트가 성적 욕망만으로 꿈을 해석했던 반면에, 그의 제자였던 구스타프 융은 억압된 욕망이 꿈으로 발현되는 것을 인정하면서도 모든 꿈을 성적 욕망으로만 해석하는 프로이트의 방식에는 의문을 가졌다. 결국, 융은 프로이트와 결별한 뒤, 꿈에서 등장하는 모든 상황엔 목적이 있다는 이론을 세웠다. 즉, 의식의 모자란 부분을 무의식으로 보완해 주는 것이 꿈의 역할이라고 설명했다.

흔히들 말하는 '꿈은 현실과 반대다'라는 말은 악몽과 현실의 연관성을 부정하고 싶은 욕망에서 비롯됐을 것이다. 하지만 잠재된 무의식이 종종 꿈으로 표현된다는 프로이트와 융의 공통된 의견에 신뢰가 간다. 그동안 경험했던 악몽들을 돌이켜 보면, 꿈은 지극히 현실을 반영하는 것 같았다.

승강장을 두려워했기 때문에 꿈으로 나온 것인지, 꿈에 나왔기 때문에 현실의 승강장이 두려워진 것인지 선후 관계를 명확하게 파악할 순 없었다. 하지만 분명한 것은 가끔 지하철 승강장에서 일어난 사건들을 뉴스에서 듣게 될 때마다 승강장에 대한 공포가 한층 강화되었다는 사실과, 그로 인해 선로와는 멀찍이 떨어진 채로 지하철을 기다렸다는 사실이다. 이는 융의 이론에 신뢰가 가는 부분으로, 승강장에서 떨어질 것을 두려워했기 때문에 그곳에서는 특히 조심해야 한다는 무의식의 경고가 꿈으로 발현된 것이라 이해하는 편이 가장 합리적이었다.

고3 시절, 하루가 멀다고 거의 매일 꿈을 꾸던 시기가 있었다. 수능 시험이 얼마 남지 않은 때였는데, 대부분의 꿈은 악몽이었다. 장르는 스릴러로 항상 누군가에게 쫓기고 있었다. 배경은 숲 속, 폐교, 집 등 다양했는데, 배경이 어디가 됐든 도움을 요청할 사람은 주위에 없었다. 그저 다급하게 도망치고 있을 뿐이었다. 융에 의하면 나는 시험에 쫓기고 있다는 사실을 인식할 필요가 있었던 걸까. 현실도 불안했지만, 꿈에서조차 불안을 겪는 일은 심히 피곤한 일이었다.

악몽의 신기한 점은 내가 끔찍이 두려워하는 것들만 골라서 재생된다는 점이다. 그래서 악몽이고, 뇌리에 강렬하게 남겠지만 말이다. 무의식은 누구보다 나를 잘 알고, 내가 무엇을 두려워하는지 정확하게 파악하고 있다는 점을 생각하면 악몽이 그토록 잔인하고 무서울 수 있는지 수긍이 간다. 그렇지 않고서야 악몽의 집요함을 어떻게 설명할 수 있겠는가.

고소
공포증

 여름날의 장태산은 산림욕을 즐기기에 적격이었다. 시원하게 뻗은 메타세쿼이아 숲을 천천히 걸으며 평소에 느끼기 어려운 청량감을 만끽했다. 하지만 그것도 잠시, 산책로는 어느새 생각보다 높아져 있었고, 꽤 높은 곳을 걷고 있다는 사실에 등골이 서늘해졌다. 조마조마한 마음이 이내 심장이 조여 오는 증상으로 이어졌다. 후들거리는 다리로 산책로를 끝까지 걷는 것은 무리라고 판단해 결국 중간에 돌아와야 했다. 그 경험이 본격적인 고소공포증의 시작일 줄은, 미처 알지 못 했다. 그 날 이후로 높은 곳에 올라가면 사고가 마비되기라도 한 것처럼 불편한 동작과 신체 반응이 일어났다.

 원인을 알 수 없는 고소 공포증은 해를 거듭할수록 서서히 심해졌다. 고층 아파트 복도나 사방이 투명한 엘리베이터는 물론이고 옆이 뻥 뚫린 에스컬레이터마저 나에겐 절망적이었다. 심장 박동이 빨라지고, 이마와 손바닥에 땀이 배고, 사고도 급격히 느려지고, 극심한 긴장감에 정신마저 혼미해졌다. 무엇보다 충격이었던 것은 이 과한 신체 반응이 겨우 2층도 되지 않는 높이에서 일어났다는 사실이었다.

친구에게 이런 고충을 토로하니 심리 상담을 추천했다. 자신도 답답한 마음에 상담을 받았는데 어느 정도 개운해졌다는 것이다. 고소 공포증의 원인을 알고 싶었고, 가능하다면 해소하고 싶었다. 추위가 아직 요란한 3월, 긴장된 마음으로 상담 센터를 찾았다.

심리 상담은 나의 유아기 혹은 성장기에 있을지도 모르는, 고소 공포증을 유발하는 사건을 찾는 과정이었다. 내가 하고 싶은 이야기를 독백처럼 하면 상담사가 그에 맞춰 질문했고, 대화의 방향은 현재에서 점점 과거로 향했다. 회차가 거듭될수록 기억 속에 묻어 두었던 이야기들을 꺼내는 것은 친구의 말처럼 개운한 일이었지만, 고소 공포증과의 연결 고리를 찾는 일은 생각보다 쉽지 않았다. 4개월이 넘는 심리 상담에서도 뚜렷한 원인을 찾지 못했고, 왕복 두 시간 거리의 센터를 오가는 것에 점점 지쳐갔다. 심리 상담을 받는 것이 더는 무의미해진 듯했고, 결국 심리 상담을 중단하기로 했다.

그 해 가을, 엎친 데 덮친 격으로 치과 치료 도중에 공황 증세가 나타났다. 고소 공포증을 겪었을 때와 비교할 수 있는 수준이 아니었다. 당장 숨이 멎을 것 같은 증상을 느끼자마자 곧장 정신 의학과를 찾았다. 약을 처방받고 며칠 뒤 다시 받은 치과 치료는 겨우 참을 만했다. 치과 치료가 끝나 갈 무렵 그런 생각이 들었다. 약물 처방으로 공황 증세가 다소 완화되었으니, 약의 힘으로 고소 공포증도 해결할 수 있진 않을까?

다시 정신 의학과를 방문했다. 고소 공포증에 대한 불편함을 얘기하고 처방받은 약을 먹은 후, 둘레길에 있는 제법 높은 전망대에 올랐다. 계단을 오르면서 불과 며칠 전 같은 전망대를 오르며 느꼈던 미칠 듯한 심장의 두근거림이나 현기증은 느끼지 못했다. 오히려 높은 곳을 오를 때 생기는 자연스러운 긴장감만 있었다. 허탈할 정도로 아주 가벼운 긴장감. 죽을 것 같은 공포만 제거된 느낌이었다. 하지만 전망대 꼭대기에 가뿐하게 도착하니 한편으로 허탈했다. 결국, 공포가 호르몬의 영향이었나 싶은 마음에. 아니면 플라시보 효과 때문이었을까, 의구심이 들기도 했지만, 허탈감은 어쩔 도리가 없었다.

공포증은 일상적인 상황에서 보편적으로 겪을 수 있는 수준의 두려움을 넘어선 지극히 개인적인 경험이기에, 타인에게 당사자의 공포 수준을 이해시키기 어려운 맹점이 있다. 엄살이나 과장 정도로 치부되기도 하고, 또 어떤 경우에는 의지박약으로까지 폄하되기도 하는데, 이럴 땐 공포증도 공포증이지만 나를 이해하지 못하는 타인에게 드는 서운함도 결코 적지 않다. 그래서 주위에 말하는 것을 꺼리게 되고, 결국 공포를 혼자 껴안게 된다. 상담을 받게 되기까지, 그리고 정신 의학과를 방문하기까지 시간이 제법 걸렸던 것도 타인이 내 공포를 이해하기 어려울 거란 오판과 혼자 버티다 보면 언젠가 해결할 수 있지 않을까 싶었던 생각 때문이었다.

  며칠 전까지만 해도 고소 공포증과 공황 장애는 내 삶에 대수로운 일이었다. 평온했던 삶을 뒤흔들 만큼 괴로운 증상들이었지만, 약을 먹고 공포를 느끼는 정도가 확연히 줄어 이젠 대수롭지 않은 일로 격하되었다. 그렇다고 공포 자체가 대수롭지 않다고 결론짓진 않았다. 해결하지 못한 공포와 불안들이 산적해 있는 까닭이다. 다만 고통을 조금이나마 줄이려는 노력은 충분히 해볼 만하다는 결론에 이르렀다. 주위에 조언을 구하거나 심리 상담을 받고, 정신 의학과에 방문해서 약물 치료를 받는 일련의 노력 정도는. 불안이 불안으로, 공포가 공포로 끝나지 않게 하려는 그 몸부림이 적어도 삶을 후퇴시키진 않으니 말이다.

수명이
다른 두 종

'냐아-'

일을 마치고 집으로 돌아오면 도어락의 비밀번호를 누르기도 전에, 보리는 눈처럼 하얀 털을 휘날리며 긴 울음으로 나의 귀가를 반겨 준다. 간혹 잠에 취해서 내가 온 줄 모를 때도 있지만, 대부분은 문 앞까지 달려 나와서는 나를 반긴다. 보고 싶었다는 말을 하얀 털과 얇고 긴 울음으로 대신한다고 생각하면, 꼭 겨울이 아니어도 코끝이 시리곤 한다.

자취를 시작하고 얼마 되지 않아 지인에게 갑작스러운 제안을 받았다. 피치 못할 사정으로 본인들이 키우지 못하게 된 한 살이 조금 넘은 고양이를 키워 볼 생각이 없냐는 제안이었다. 며칠간의 고심 끝에 200km를 달려가 아주 새하얀 고양이를 데려왔다. 보리와의 첫 만남이었다.

보리가 집에 처음 발을 들여놓던 순간이 기억난다. 바짝 얼은 몸을 간신히 움직여 구석으로 아주 천천히 숨었고, 움직이는 법을 잃은 듯 웅크리고 앉아 있었다. 그렇게 10분 정도가 지나자 조심스럽게 집안을 탐색하러 다녔는데, 모든 동작은 어색함 그 자체라 웃음이 절로 나왔다. 그렇지만 반려동물과의 생활은 처음이었기에 어색한 것은 나도 매한가지였다. 보리의 움직임 하나하나에 어떤 의미가 있는지 인터넷을 검색해야만 그 의중을 겨우 파악할 수 있었다. 불안할 땐 몸을 최대한 작게 웅크린다든지, 아주 불편한 심정일 땐 꼬리를 격하게 흔든다든지, 내 다리에 얼굴을 부비는 건 애정표현이었다. 서툴지만 서로의 언어를 천천히 익혀갔다.

함께 살면서 깨달은 바지만, 보리와 나는 상극이었다. 검은색 계열의 옷을 좋아하는 나로서는 보리의 하얀 털을 감당하기 버거운 날이 종종 찾아온다. 그럴 때면 보리가 털을 만들어 내뿜는 공장이 아닐까 싶은 착각이 든다.(보리는 긴 털을 뽐내는 페르시안 고양이다.) 내가 조금 더 고생하고 말자는 생각에 털을 일일이 떼어 내 봤지만, 아무리 떼어 내도 하얀 털을 당해 낼 재간이 없다. 지금은 남에게 피해는 주지 않을 정도로만 떼어 내는 것으로 만족한다.

물건은 되도록 오래 쓰고 싶지만, 보리와 함께 산 이후론 쉽지 않았다. 보리가 모니터 케이블을 건드려 멀쩡한 모니터를 박살 냈을 땐 헛웃음밖에 나오지 않았다. 이어폰을 이빨로 끊어뜨렸던 건 오히려 사소한 일이었다. 그뿐인가. 긁으라고 사 준 스크래쳐 대신 침대 시트를 발톱으로 긁고 있는 보리를 보면 속이 터진다. 그렇지만 본인이 싫다는데 어쩌겠는가. 몸에 좋은 간식이라고 사 와서 건네면 냄새를 킁킁 맡고서는 본체만체 외면하는 까탈스러움은 또 어쩌겠는가.

보리가 태어날 때부터 함께했던 것이 아니라 그랬을까, 서먹한 기간이 꽤 길었다. 내 무릎에 앉은 보리의 자태를 보기까지 1년이 걸렸고, 내 손을 거부하지 않고 장난을 받아들이는 데는 2년이 걸렸다. 7년이 지난 지금, 우리 둘은 제법 가까운 사이가 되었다. 내가 침대에 누워 있으면 보리는 재빨리 올라와 한자리 차지하려고 벌러덩 눕는다. 손 뻗으면 닿을 거리에 누워 있는 보리와 손가락을 이용해 장난을 치다가 얼굴을 쓰다듬으면, 이 작은 생명체는 자기 머리를 내 손바닥에 비비기 시작한다. 한참을 그렇게 놀다 보면 어느새 자신의 머리 무게를 내 손에 싣는다. 그럴 때마다 보리의 묘생이 내 어깨에도 실린다.

인생과 묘생 모두 앞날을 장담할 수는 없지만, 두 종의 수명이 서로 같지 않다는 이유 하나만으로 보리에게 서글픈 감정을 자주 느낀다. 우리가 평탄하게 살아서 각자에게 주어진 수

명을 다 살아낸다면, 생각하고 싶지 않은 순간은 언젠가 찾아올 것이다. 이별을 미리 생각하고 싶진 않지만, 그래도 불쑥불쑥 드는 생각은 어쩔 수가 없다. 이런 생각에 빠지고 나면 늘 가슴 끝이 파르르 떨린다. 상상만으로도 충분히 고통스럽기에. 그럴 때면 아직 찾아오지도 않은 미래를 상상하고 걱정하는 것보단 현재에 집중하자는 생각으로 간식을 꺼내 준다. 간식 포장지의 부스럭거리는 소리만 들어도 쏜살같이 달려오는 보리의 잔망스러움이 나를 오롯이 현재에 집중시킨다. 그럼 우리에겐 현재만으로도 충분하다며 안심한다.

고양이에게 가까이 가면 특유의 '그르릉'거리는 진동 소리를 들을 수 있다. 이 소리는 고양이가 자신을 안심시키기 위해 내는 것인데, 자세히 듣고 있자면 작은 모터 소리처럼 들린다. 머리맡에 보리가 누워 있을 때면 그르릉 소리가 선명하게 들린다. 가끔 나의 기름진 머리카락을 사정없이 핥을 때도 환희의 그르릉 소리는 아주 선명하다. 아주 오래도록 듣고 싶은 기분 좋은 소리. 보리가 들려주는 그 진동 소리에 이제는 내가 평온함을 느낀다.

작가의 말

처절한 몸부림이라도,
망가지는 허우적거림이라도

열아홉 살의 나는 지독한 불안에 시달렸다. 평소에 제대로 공부해놓지 않은, 기본기 없는 학생이 수능 시험을 앞두고 드는 불안은 대개 이런 것이었다. 시험은 제대로 볼 수나 있을까? 대학은 갈 수나 있을까? 당장 스무 살의 내 모습이 그려지지 않기에 생긴 불안이었다. 아무리 공부해도 불안은 쉽게 사그라지지 않는데, 어떤 방식으로든 이 불안을 해소해야 했다. 그날도 여느 날처럼 독서실이었고, 답답한 마음을 풀 길이 없어서 책상에 엎드려 낙서하다가 엉뚱하게도, 시를 썼다.

<침강>

누가 발에 돌을 묶은 것도 아닌데
계속 가라앉는다

아무것도 하지 않으면
아득한 저 바닥으로 가라앉는다

올라가야 한다
수면 위로

되지도 않는 발장구라도,
처절한 몸부림이라도,
망가지는 허우적거림이야 어떻겠냐마는

살자
일단 살고 보자

뭐라도 써야 했다. 평소에 시를 쓰던 학생도 아니었는데, 불안이 유발한 끄적임은 시가 되었다. 수학과 과학으로 시름하던 이과생이 시라니! 정말 의외였다.

발버둥 치던 그 흔적들이 부끄러워질지언정
생생한 삶을 볼에 부비며 부끄러워하자

우린 살아야 하기에,
수면 위에서 헛헛한 숨이라도 내뱉으며
우린 그렇게라도 살아야 한다

15년 뒤에 '수면 위로'라는 제목으로 바꾸고, 위의 두 연을 보태어 첫 시집 〈꽃인 너는, 꽃길만 걷자〉에 수록까지 했으니, 그때의 불안은 꽤 쓸모가 있었다. 무엇보다 시의 영역에 처음 발을 디딘 계기가 되었으니 말이다. 시험에 대한 아슬한 불안은 그대로 현실이 되긴 했지만.

바둑의 기본은 복기(復棋)라고 한다. 끝난 경기의 처음으로 거슬러 올라가서 한 수 한 수 다시 두며 자신의 실책과 상대의 허점을 분석하는 것이다. 어떻게 보면 나도 이 책을 쓰며 일종의 복기를 한 셈이다. 내가 기억하는 최초의 불안은 무엇이었는지, 미처 알지 못한 불안의 정체라든지, 나에게 불안을 가져다준 존재에 관한 고찰이라든지. 불안을 척도로 내 생애를 찬찬히 뜯어본 것이다. 초고를 쓴 순간부터 탈고하기까지, 2년이 조금 못 되는 기간의 복기 끝에 내 생이 지극히 낯설게 느껴졌다.

불안은 외부 세계에서 오기도 하며 때로는 내가 만들어내기도 한다. 나이에 의해, 혹은 처한 상황에 의해 생기기도 하는데, 그 불안의 모양이 각양각색이다. 또 오랜 세월을 꾹꾹 눌러 놓은 불안이 어느 순간 갑자기 튀어나오기도 하며, 난생처음 겪는 불안에 당황하기도 한다. 가끔은 그런 나에게 실망하기도 한다. 이런 불안 따위를 왜 쉽게 극복하지 못할까, 하고. 그뿐만 아니라 불안의 정체에 대해서도 의구심이 든다. 내가 언제 저런 불안들을 껴안고 살아왔는가, 하고.

인생은 선택의 연속이라고 했던 사르트르의 주장과는 달리, 내 인생은 불안의 연속이었다. 나이를 먹으면 먹을수록 현실은 더 넓고 깊은 불안의 바다였다. 그 속에서 나는 가라앉는 존재일 뿐이었다. 하지만 나는 살아야 했다. 공포에 사로잡혀도, 잔걱정에 두통이 밀려와도, 불안한 내 존재가 서글퍼도, 나는 살아야 했다. 불안을 극복하면서 내 생생한 삶을 증명해내고 싶었다. 비록 모든 불안을 극복하지 못했더라도, 정체 모를 새로운 불안이 불쑥 찾아와도. 불안에 잠식되지 않기 위한 노력은 그야말로 처절한 몸부림이었고, 망가지는 허우적거림이었다. 그렇지만 아이러니하게도 불안의 가치는 거기에 있었다. 내가 얼마큼 생에 집착하는지 알려주는 척도. 내 삶을 축약하면 생의 애착이 만든 불안에서 벗어나고자 하는 몸부림 그 자체였다.

*

열두 살의 여름이었다. 방학이 끝나기 며칠 전, 방학 숙제로 곤충을 채집하기 위해 기다란 잠자리채와 작은 곤충 채집 통을 하나씩 들고 학교 화단이며 동네를 헤집고 다녔다. 하루를 꼬박 돌아다녀 방아깨비, 나비, 매미와 잠자리 등 여덟 마리 곤충을 잡았다.(지금에서야 생각하면 잔인한 숙제였지만.) 그리고 종이 박스 안 스티로폼에 고이 고정해 곤충들을 보니 뿌듯하고 후련했다. 고생한 하루를 보상받기라도 한 듯.

나를 괴롭히는 불안들을 채집하고 나열하기를 끝마친 지금, 그 어린 시절 곤충 채집을 끝내고 느꼈던 후련함을 다시 느꼈다. 비록 현재 진행형인 불안을 껴안은 채 사는 찝찝함도 더러 있지만, 힘겨운 방학 숙제를 기어코 끝내기라도 한듯 후련한 기분이 더 크다.

불안의 면면을 마주하는 일은 나로서 상당한 도전이었다. 고통스러운 기억을 다시 더듬는 일을 굳이 자진해서 할 필요가 있을까 싶었지만, 그 덕분에 나의 오랜 불안을 이제야 또렷하게 볼 수 있게 됐다. 그뿐만 아니라 불안의 근원을 파헤치는 일이 앞으로의 내 삶을 더욱 견고하게 만들어주리란 믿음은 일부 현실이 되기도 했다. 마음은 조금이나마 단단해진 느낌에, 초고를 쓸 때만 해도 고통받았던 불안 중 몇 개는 자취를 감췄다. 혹여 그 불안이 어느 엉뚱한 순간에 다시 튀어나올지 알 수는 없지만, 한 번 파헤쳐봤으니 그때는 당황하지 않고 말할 수 있지 않을까. 외면하지 않고 다시 마주하겠노라고,

나의 오랜 불안에게 말이다.